DE PASSIEVRUCHT

Karel Glastra van Loon

De passievrucht

Uitgeverij L.J. Veen Amsterdam/Antwerpen

Voor Karin

Achtentwintigste druk
© 1999/2001 Karel Glastra van Loon

Omslagfoto: Lieve Blancquaert
Omslagontwerp: Brigitte Slangen
Auteursfoto: Steye Raviez

D/2001/0108/767
ISBN 90 204 1726 6
NUGI 300

www.karelglastravanloon.nl
www.boekenwereld.com

From the start
Most every heart
That's ever broken
Was because
There always was
A man to blame

Dolly Parton ('It Wasn't God Who Made Honkytonk
Angels')

Een

We rijden zwijgend naar het ziekenhuis. Ellen zit achter het stuur, ik tel de strepen op de weg. De weg is vol auto's op oorlogspad. Ellen rijdt eerst te hard, dan te langzaam. Ze geeft geen richting aan. Ik zeg niks.

In de berm groeien reclameborden.

THE FUTURE IS HERE.

WAT MAAKT EEN ONDERNEMER GELUKKIG?

'Geld,' zeg ik.

'Wat?'

'Nee, niks.'

We parkeren in de betonnen buik van de ziekenhuisstad. Lopen door overdekte straten vol mensen in trainingspakken die rolstoelen voor zich uitduwen. Op een plein, waar de geur hangt van frituurvet en verlepte bloemen, speelt een strijkje zigeunermuziek.

'Hier links,' zeg ik.

'Daar is de lift,' zegt zij.

Ik kijk naar haar spiegelbeeld in een glazen ruit. De spanning trekt de kleur weg uit haar lippen.

'Ik sta niet voor mezelf in...' had ze gezegd.

'Als ze zeggen waar ik bang voor ben, dan...'

Ze maakt al weken haar zinnen niet af.

'Gaat u zitten,' zegt de arts. En als we zitten: 'Ik heb niet zulk prettig nieuws voor u.'

Ik zie Ellen verstijven. Ze duwt haar kin tegen haar borst, kijkt strak naar de grond.

'En dan met name niet voor u, meneer.'

Haar rug recht zich, haar kin schiet omhoog. Ik zie het uit mijn ooghoeken. Heel even draait ze haar hoofd mijn kant op. Ik ben me er plotseling van bewust dat ik hevig heb gezweet, mijn kleren kleven nat en koud aan mijn lijf.

'U bent onvruchtbaar. En daar is niet alleen niets aan te doen, het is bovendien, en ik besef dat dit een schok zal zijn, altijd zo geweest.'

Het eerste wat ik voel, althans het eerste gevoel waarvan ik me bewust word als hij is uitgesproken, is opluchting. Hier is sprake van een groteske vergissing. Er zijn dossiers verwisseld, onderzoeksresultaten verkeerd ingeschreven, er is iemand met dezelfde naam, iemand die op ditzelfde moment, in een andere dokterskamer, de resultaten te horen krijgt van *mijn* onderzoek: 'U mankeert helemaal niets, meneer. Uw zaad is kerngezond.'

'Maar dat is onmogelijk,' zeg ik. 'Ik heb een kind, een zoon van dertien!'

Het blijft lang stil in de kamer. Niets beweegt. Niemand beweegt. De hele ziekenhuisstad van beton en staal en glas, de liftschachten, de gangen, de duistere tussenverdiepingen vol tikkende, zoemende, zuchtende buizen, de zalen vol bedden met herstellenden en stervenden, de bezoekers en de artsen, de studenten en de coassistenten, zij allen houden de adem in. Het heden houdt stil, omdat vlak achter dat heden het verleden ontploft.

Ellen kijkt naar de arts. De arts kijkt naar mij. Ik kijk naar een ingelijste foto vlak achter zijn hoofd: een jongen en een meisje op ski's tegen een decor van besneeuwde bergtoppen, onder een strakblauwe hemel.

Ik weet dat de dingen daarna hun normale loop hebben hernomen. Dat wij als volwassen mensen de zaken verder hebben besproken. En dat we vervolgens naar huis zijn gereden, Ellen en ik, over dezelfde wegen, langs dezelfde borden, door hetzelfde oorlogszuchtige verkeer.

Ik weet het, maar ik herinner het mij niet. Het enige dat ik me herinner is wat ze me vroeg toen we de straat in draaiden waar wij wonen.

Ze vroeg: 'Wil je dit aan Bo vertellen?'

Wil ik dit aan Bo vertellen?

Ik wil maar één ding: dat wat gezegd is niet is gezegd, dat wat gebeurd is niet is gebeurd. Het is een zinloos willen, maar toch, ik kan er niet mee ophouden. Ophouden zou erger zijn. En dus herroep ik oude besluiten, kom ik terug op wat ik eerder heb gezegd. Ik reconstrueer het recente verleden, om een ouder verleden te redden. Waar ik 'ja' zei, zeg ik nu 'nee'. Waar ik besloot tot handelen, besluit ik nu tot nietsdoen. Waar ik toegaf aan haar verlangen, omdat ik dacht dat het ook mijn verlangen was, daar wijs ik haar nu af.

'Nee, ik wil geen kind bij jou. Ik heb een kind, en dat kind is mij genoeg. Laat het jou ook genoeg zijn.'

Ik weet dat ik daarmee onze liefde op het spel zet, dat er voor ons geen toekomst zal zijn als ik volhard, en toch doe ik het. Nu wel. Want nog moeilijker dan te leven zonder toekomst, is te leven zonder een verleden.

Twee

Bo is dus niet verwekt in een kille zomernacht op de passagiersstoel van een gele Renault 5. Hij heeft zijn kin, die iets naar voren steekt waardoor het lijkt alsof zijn onderkaak verkeerd gemonteerd is, niet van mij. Zijn ogen hebben wel de kleur van die van Monika, maar niet de vorm van de mijne, zoals iedereen zegt die Monika heeft gekend. Dat zijn linkervoet een halve maat kleiner is dan de rechter, net als bij mij – toeval!

Er staat een tekst in het apocriefe bijbelboek Het Evangelie van Philippus waaraan ik de laatste tijd vaak moet denken. 'De kinderen die een vrouw gaat baren lijken op degene die ze liefheeft. Als dat haar man is, lijken ze op haar man. Als dat echter een echtbreker is, dan lijken ze op die echtbreker.'

Ooit, het moet nu een jaar of zes geleden zijn, heb ik die tekst voorgelezen aan Bo. We zaten aan de houten tafel in de keuken, met grote vellen tekenpapier en geslepen potloden in een piramide van licht. Ik tekende voor Bo het Huis van het Weten. Eerst de plattegrond, daarna een voor- en een zijaanzicht.

'De voorkamer van het Huis van het Weten,' zei ik tegen Bo, 'is de Kamer van de Feitelijke Kennis. Daarin vind je alle dingen die je nu weet. Daarachter ligt een veel grotere kamer: de Kamer van het Mogelijke, van alle dingen die je nog te weten kunt komen als je tijd van leven hebt en nieuwsgierig blijft.'

Bo rolde een potlood over het tafelblad.

Naast de voor- en achterkamer lag een ruimte waarvan ik de buitenmuur niet had ingetekend.

'Dat is de Donkere Kamer van God,' zei ik. 'Niemand weet hoe groot die kamer is. Elk licht dat je er binnen brengt, wordt onmiddellijk gedoofd. Je ziet er alleen iets als je de tijd neemt om aan het donker te wennen. Dan word je soms, heel even, dingen gewaar die je niet voor mogelijk had gehouden.'

'Er zijn mensen,' zei ik, 'die zo schrikken van wat ze daar zien, dat ze de deur gauw weer dichtgooien en er niet meer terugkeren. En er zijn mensen die eraan verslaafd raken en zelden of nooit meer naar buiten komen. De Donkere Kamer van God is de mooiste maar ook de gevaarlijkste kamer van het huis.'

Het Huis van het Weten had een grote zolder, de Rommelzolder van de Kennis noemde ik die. 'Daar vind je de raarste dingen. Grappige en onbruikbare dingen, zoals de Theorie van de Platte Aarde en de Tien Gulden Regels voor Burgermeisjes. Maar ook prachtige en nuttige dingen, zoals de Heilige Geometrie en het Evangelie van Philippus.'

'Wat staat daar in?' had Bo gevraagd. En ik was naar de boekenkast gelopen en had het dunne boekje, dat vol stond met potloodstrepen en uitroeptekens, van de plank gehaald. Ik had zomaar, willekeurig, een aangestreepte passage uitgezocht en aan Bo voorgelezen. Het was de tekst over de echtbreker.

'Wat is een echtbreker?' vroeg Bo.

'Dat is een inbreker, maar dan in de echt,' zei ik.

'Wat is dat, de echt?'

Ik deed of ik hem niet had gehoord. De simpelste vragen zijn vaak het moeilijkst te beantwoorden. Ik tekende nog een laatste vertrek: een piepklein kamertje in een dode hoek van de plattegrond.

'Het is een kamer zonder ramen,' zei ik, 'verlicht door een kale gloeilamp die van het plafond omlaag hangt. Het is de kamer van de dingen die je beter niet had kunnen weten. Ik noem hem de Martelkamer.'

En Bo had zich over de tafel gebogen om beter te kunnen zien.

'Kom je daar weleens?'

'Ja,' zei ik. 'Daar kom ik weleens.'

Wie is de echtbreker op wie Bo lijkt? De enige van wie ik zeker weet dat ze die vraag had kunnen beantwoorden is Monika. Monika is al tien jaar dood.

Ik had nog een kamer moeten toevoegen aan de plattegrond van het Huis van het Weten, denk ik nu: de Kamer zonder Hoop.

'Wat is daar te vinden, in die kamer?' had Bo dan kunnen vragen. En ik zou geantwoord hebben: 'Niets en dat is het hem juist. Het is een kamer uit een kwade droom, waar je een leven lang kunt zoeken naar iets waarvan je weet dat het er moet zijn, maar dat je steeds ontglipt op het moment dat je het gevonden denkt te hebben. Het is de kamer waar alle kennis ligt opgeslagen waarover je zou willen beschikken, maar die om de een of andere reden onmogelijk meer te achterhalen is.'

Wil ik Bo meenemen naar die kamer?

Drie

Ik heb een doos vol foto's uit de tijd dat Monika nog leef-
de. We zouden ze gaan inplakken, ooit, in drie albums met
neplederen zwarte omslagen die Monika kocht op Konin-
ginnedag. Het is er nooit van gekomen. De albums heeft Ellen later gebruikt om andere foto's in te plakken – foto's van
haar en mij en Bo. De foto's van Monika zitten nog altijd
in de doos. De doos stond jarenlang onder in een kast, ik
keek er nooit meer in. Maar nu heb ik hem te voorschijn
gehaald. Vanaf de vloer van mijn werkkamer kijkt Monika
mij aan in veelvoud, vijf jaar van mijn leven in Kodak-kleu-
ren op de grond.

Monika in een hotelkamer aan de Bretonse kust. Ze is
drie maanden zwanger, het is ochtend, er valt een grauw
licht de kamer binnen. Ze draagt een lichtblauw herenoverhemd, verkreukeld van de nacht, de knopen los. Haar handen rusten op haar blote buik, alsof ze het kind willen be-
schermen. Haar witte benen bungelen over de rand van het
hoge, gietijzeren bed. De hele zwangerschap had ze grote
moeite met de ochtenden, ook toen ze niet meer misselijk
wakker werd. In Bretagne liepen we elke middag naar het
strand, ademden de zeelucht in om onze stadslongen te rei-
nigen, keken naar de zeevogels, zochten naar schelpen en
zeesterren tussen de bewierde rotsen die droogvielen bij laag
tij. Op een dag vonden we een dood schaap, aangevreten
door vissen en vogels. Het verminkte dier lag ons met zijn
lege oogkassen aan te staren als in een middeleeuwse ver-
vloeking. We haastten ons terug naar het hotel.

Monika op het strand bij Noordwijk. Ze zit onder een grote rood-met-witte badhanddoek, die haar van hals tot enkels bedekt. Haar neus glimt van de zonnebrandolie. Onze eerste zomer samen. Ze kon slecht tegen de zon. Haar rode haar werd geel. Haar witte huid werd rood. Het was mijn idee geweest om naar Noordwijk te gaan, op een warme dag in juli met een strakblauwe lucht. Monika had ingestemd, omdat we elkaar nog niet zo lang kenden en omdat ze geen spelbreker wilde zijn (vertelde ze later).

'Hoe lang hou jij het vol in de zon?' vroeg ze toen we door het hete zand ploegden, op zoek naar een rustig plekje.

'Uren,' zei ik. 'En jij?'

'Niet zo lang.'

Ik vond haar witte lichaam van een betoverende schoonheid, maar die dag kwam ik erachter dat zij voor die schoonheid een hoge prijs betaalde. We bleven niet lang, en als we niet in de zee waren (waar we elkaar nat spatten, waar ik haar in de branding in mijn armen nam en het zout van haar gezicht kuste, waar we met verve het verliefde stel uit een B-film speelden) – als we dus niet in de zee waren, zat ze vrijwel steeds onder de grote badhanddoek. En toch was ze 's avonds verbrand. In de jaren die volgden zijn we nog vaak samen naar het strand geweest, maar nooit meer op een zonnige dag in juli.

Er zijn een paar foto's van ons samen. Op de vrolijkste zitten we op een grote herenfiets, Monika voorop. Ze moet haar voeten en haar tenen strekken om bij de trappers te kunnen. Ik zit achterop met een arm om haar middel. Met mijn andere arm zwaai ik naar de fotograaf. Ik vraag me af wie de foto heeft genomen en wanneer precies. Te oordelen naar Monika's haar moet het vóór Bo's geboorte zijn geweest. Daarna liet ze het groeien. Juist toen ze had besloten om het weer kort te laten knippen, werd ze ziek. Ze is met lang haar begraven. Nu schiet me ook te binnen wie de foto heeft gemaakt: mijn vader. Het is mijn vaders fiets waarop wij zitten. Er zitten verfspatten op Monika's broek. De foto is gemaakt op de Ceintuurbaan, ter hoogte van het Sarphatipark. We hadden net een woning gekregen, schuin tegenover het park. Mijn vader hielp ons bij het opknappen.

De eerste twee weken nam de hoeveelheid werk die nog verricht moest worden dagelijks toe in plaats van af. Toen we het behang afstaken bleek het pleisterwerk vergaan. Achter de plafondplaten kwamen schimmelende balken te voorschijn. Er zat een enorme scheur in het metselwerk van de schoorsteen. De houten vloer onder de keukenkastjes was verrot.

'Dat had je toch van tevoren kunnen zien,' mopperde mijn vader, meer tegen zichzelf dan tegen mij. 'Waar kijk jij in hemelsnaam naar als je een woning gaat bezichtigen?'

'Uit het raam,' zei ik. 'Ik kijk vooral uit het raam.'

Behalve op het park hadden we ook uitzicht op een eksternest. Toen ik voor het eerst in de woning kwam, waren de vogels druk bezig met de reparatie van het dak. Het had in de dagen daarvoor flink gestormd en het omvangrijke nest had zichtbaar averij opgelopen. De twee eksters vlogen af en aan met takken. Het moet in april of mei zijn geweest. De foto is van twee maanden later. Achter de geparkeerde auto's zijn de laatste bloesems van een meidoorn te zien. Het schilderwerk was het laatste dat moest gebeuren. Niet lang daarna verhuisden we – eerst Monika, een dag later ik.

De eksters brachten die zomer drie jongen groot.

En Monika werd zwanger.

Vier

Het was een zomer vol eerste keren. Voor het eerst woonde ik samen. Voor het eerst las ik de woorden 'dexamethasone', 'vasopressin' en 'glycogenolysis'. Voor het eerst neukte ik in een auto. Voor het eerst maakte ik een vrouw zwanger (dacht ik). Voor het eerst zag ik in Amsterdam een zwarte roodstaart (in de Gerard Doustraat). Voor het eerst dacht ik na over de woorden 'Het zou dwaas zijn om te lachen om de romanticus; ook de romanticus heeft gelijk' (Ortega y Gasset). Voor het eerst (en het laatst) sliep ik met twee vrouwen tegelijk. Voor het eerst van mijn leven zag ik in mijn vader een gelijke, omdat mijn vader in mij een gelijke zag. Het was een verandering die ik op geen enkele manier had voorzien en die mij bijna evenzeer ontroerde als de veranderingen in Monika's lichaam. (Al ruim voordat haar buik ging groeien, veranderden de vorm van haar gezicht, de veerkracht van haar haar, de zachtheid van haar borsten. Ik vond het onbegrijpelijk dat zo veel mensen zo lang niets in de gaten hadden. Keek dan niemand goed naar haar – zelfs haar eigen moeder niet? Nee, vooral haar eigen moeder niet.)

Mijn vader is een selfmade man – dat zijn z'n eigen woorden. Hij had in het leven een moeilijke start, was als jongetje zwak en ziekelijk. Toen hij dertien was brak de oorlog uit. Drie maanden later verloor hij zijn vader. Niet door de oorlog, maar door een stompzinnige samenloop van omstandigheden. Er werd een nieuw huis gebouwd in een straat niet ver van waar mijn grootouders woonden. De bouwvakkers hadden juist het hoogste punt bereikt en mijn grootvader bleef aan de overkant van de straat even staan kijken hoe de mannen elkaar feliciteerden en hoe een van hen, balancerend op de nokbalk, zijn pet in de lucht gooide en weer opving. 'Als mijn vader niet was blijven staan,' zei mijn vader, 'zou hij nooit onder de tram zijn gekomen.' Nu stak hij, nog omhoogkijkend naar de joelende mannen, de straat over juist op het moment dat lijn 4 voorbijkwam. Zijn beide benen raakten zo ernstig bekneld onder de stalen wielen van de tram dat ze in het ziekenhuis moesten worden afgezet. De wond aan zijn linkerbeen (of de stomp die daarvan over was) raakte geïnfecteerd. De ontsteking sloeg naar binnen. Tien dagen na het ongeluk had mijn vader geen vader meer.

'Jij hebt nooit geleerd te vechten,' zei mijn vader als hij weer eens niet begreep waarom ik de dingen deed die ik deed. En wat kon ik anders doen dan hem gelijk geven, om er zo onverschillig mogelijk achteraan te zeggen: 'Maar dat is toch precies wat je wilde bereiken – dat ik het beter heb dan jij destijds?'

Er was na de oorlog geen geld om mijn vader te laten studeren, maar hij vond al snel werk bij een aannemer, ironisch genoeg bij dezelfde die destijds het huis bouwde dat mijn grootvader het leven kostte. In de loop van de jaren vijftig, toen half Nederland een bouwput was, klom mijn vader op van manusje-van-alles tot voorman. En in 1961 trad hij niet alleen in het huwelijk met een drie jaar oudere zangeres uit een Amsterdams nachtcafé, maar begon hij bovendien voor zichzelf: Bouw- en aannemersbedrijf Cornelis Minderhout maakte in tien jaar tijd van mijn vader een welvarend man (al zouden de nouveaux riches van nu moeten lachen om wat mijn vader trots 'ons familiekapitaal' noemde – we konden er een twee-onder-een-kapwoning van kopen in Abcoude en een roeibootje voor in het Gein).

Ik heb mijn vader lang als een alleskunner beschouwd, een bewonderenswaardige figuur die even gemakkelijk een dakkapel voor mijn zolderkamer maakte, als een grote pan paella bereidde, de motor van onze Volvo Amazone uit elkaar sloopte of een feest organiseerde voor honderd gasten (ter gelegenheid van het derde lustrum van de firma Minderhout), waar een goochelaar optrad en waar mijn vader de merengue danste met een oogverblindend mooie zwarte zangeres. Mijn vader is een *ladies-man* en hoewel ik niet weet of hij mijn moeder ooit ontrouw is geweest, kan ik me nauwelijks voorstellen dat dat niet zo is.

Mijn moeder was, zoals gezegd, drie jaar ouder dan hij, en toen hij haar ontmoette werkte ze in de nachtelijke uren als zangeres ('chansonnière' zei mijn vader) in een nachtcafé. Ze was van een onalledaagse schoonheid, met hoge jukbeenderen en een brede mond, die op haar artiestenfoto's altijd zwaar is aangezet met donkere, glanzende lippenstift. Op de trouwfoto's is goed te zien hoe trots mijn vader was op zijn verovering. Precies negen maanden na het huwelijk baarde mijn moeder mij. 'Je vader was er net op tijd bij,' zou ze later zeggen, 'want ik vond mijzelf eigenlijk al te oud voor kinderen.' Op het moment van mijn geboorte stond mijn vader in een bouwput in Leeuwarden. Toen hij 's avonds thuiskwam lag ik schoongewassen in de wieg. Hij tilde me op en zei tevreden tegen mijn moeder: 'Heb ik dat niet goed gedaan?' En toen mijn moeder hem dat jaren later voor de voeten wierp, begreep hij nog altijd niet wat hij daar nou verkeerd aan had gezegd. Maar ik was zes en voelde haarfijn aan dat mijn vader mijn moeder pijn had gedaan en het maakte dat ik nog meer afstand tot hem hield.

'Je vader,' zei mijn moeder toen ik het huis uitging, 'heeft altijd erg veel van je gehouden.' Maar dat ze dat moest zeggen, zegt misschien genoeg. (Toen ze op sterven lag zei ze: 'Je vader heeft altijd veel van me gehouden. Maar misschien hield ik wel niet genoeg van hem. En later kon ik het niet meer.' Ik durfde niet te vragen wat ze daarmee bedoelde.)

Maar nieuw leven verandert alles – ook en vooral de relatie tussen vader en zoon.

We brachten mijn ouders op de hoogte van Monika's zwangerschap op een prachtige nazomerdag in september, die iets leek goed te willen maken van de koele natte zomer die we achter de rug hadden. Mijn ouders kwamen aan het eind van de middag, toen het late zonlicht de bomen in het park in een goudgele gloed zette. De ideale tijd voor een goed glas wijn. (Ook van wijnen heeft mijn vader veel verstand. In het huis in Abcoude legde hij met veel zorg een wijncollectie aan, waarmee hij zelfs de plaatselijke krant haalde, tot zijn niet geringe trots. Ik had mij daarom voor deze bijzondere gelegenheid bij een wijnhandel in de Frans Halsstraat laten voorlichten, en uiteindelijk kocht ik een rode bordeaux met een rijk bouquet, een lichte houtsmaak, en een zweem van vanille in de afdronk.) De deuren naar het Franse balkon aan de voorkant van het huis stonden open, en het straatrumoer en de geuren uit de keuken, waar Monika een gorgonzola-polenta bereidde met drie soorten paddestoelen en granaatappelsaus, deden mijn vader en moeder verzuchtingen slaken over een stadje in Frankrijk dat zij die zomer hadden bezocht en waar zij uren op terrasjes hadden gezeten met een karaf karaktervolle landwijn en een goed boek. Mijn vader was ingenomen met mijn wijnkeus en we dronken op het goede leven, en omdat ik Monika in de keuken had ingeschonken viel het niet op dat zij druivensap dronk in plaats van bordeaux.

Mijn vader en ik inspecteerden nog eens het werk dat we die zomer aan het huis hadden verricht (het meeste hadden hij en Monika gedaan, omdat ik het te druk had met werken – we konden het geld immers goed gebruiken), terwijl mijn moeder Monika in de keuken gezelschap hield. Toen het eten klaar was en we allemaal aan tafel zaten zei ik: 'Monika en ik willen jullie wat vertellen.' Daarna liet ik een stilte vallen, zoals dat hoort, en keek ik naar mijn moeder, naar mijn vader, en weer naar mijn moeder. Mijn moeder glimlachte welwillend, zoals ik dat zo goed van haar kende, en mijn vader keek bedachtzaam naar het tafelkleed, alsof hij een bouwtekening bestudeerde.

'We zijn zwanger,' zei ik toen maar, en het klonk onbeholpen en belachelijk en dat was het ook. Zoiets intiems vertel je niet aan je ouders, wist ik opeens (het gaat tenslotte goed beschouwd over seks), maar toen was het al geschied, en bovendien: verzwijg maar eens een zwangerschap.

Dat mijn moeder in tranen zou uitbarsten, dat had ik wel verwacht. Mijn moeder huilde graag en veel en vooral van blijdschap. (Zij vormde het levende bewijs van het ongelijk van diegenen die nog steeds geloven dat huilen een teken van zwakte is. 'Dat ik niet zal kunnen zien hoe het verder gaat met jou en Bo,' zei ze op haar sterfbed, 'dat doet me nog het meeste pijn.' En ze huilde. Maar ze stierf in vrede.) Dat mijn vader ook zou huilen, dat trof me recht in mijn hart. Hij stond op en kwam me omhelzen. Ik stond ongemakkelijk tussen mijn stoel en de tafel geklemd en ik voelde zijn schouders schokken. Toen maakte hij zich van mij los en keek me recht in de ogen. Zijn wangen waren nat, maar er verscheen een brede grijns rond zijn mond: 'Vanaf nu zijn wij niet meer vader en zoon,' zei hij, 'maar zijn wij beiden vader.' En hij stapte op Monika af en omhelsde ook haar, en ik omhelsde mijn moeder en mijn moeder omhelsde mijn vader en daarna Monika en pas daarna schepten we het eten op onze borden en schonken de glazen bij. (Ik haalde het pak druivensap uit de keuken en we lachten om het kleine bedrog dat niet was opgemerkt.) En we praatten over alles en niets en vooral over wat het betekende om een kind te verwachten, en ik merkte dat mijn vader gelijk had gehad: we spraken voor het eerst met elkaar als gelijken.

Toen mijn ouders ten slotte vertrokken, zwaaiden Monika en ik hen na vanaf het Franse balkon en daarna gingen we zitten op de bank, dicht tegen elkaar aan, en we staarden naar de kaarsen, die aangenaam flakkerden in de nazomeravondbries die door het huis trok, en we zeiden heel lang helemaal niets.

Drie dagen later reisde Monika naar haar ouders in Roermond. 'Het is beter als je er niet bij bent wanneer ik het hun vertel,' zei ze. En toen ze terugkwam: 'Het was maar goed dat je er niet bij was.'

Vijf

Eerste keren vergeet je niet gauw, maar de rest... Mijn geheugen is als het werk van een drankzuchtige archivaris: het vertoont gaten en verdichtingen, de kaartenbakken zijn omgevallen, de fiches in haast weer bijeengeraapt. Soms is er maandenlang niets verzameld, dan weer is er koortsachtig maar lukraak gewerkt. Er is een ladenkast vol herinneringen, maar waar zijn de herinneringen die mij kunnen helpen bij het beantwoorden van de vragen die mij nu uit mijn slaap houden? Wie is de vader van mijn zoon? Met wie ging mijn dode geliefde vreemd? En wanneer? En vooral ook: waarom? Hoe kan het dat ik nooit iets heb gemerkt, dat ik nooit de geringste argwaan heb gehad? Of was die er wel, maar heeft de dronken archivaris die herinneringen onder het tapijt geveegd, uit het raam gekieperd, opgestookt in de allesbrander?

Ik kijk naar Bo, die ik beter ken dan enig ander mens in de wereld, en zie een vreemde. Ik kijk naar Ellen, van wie ik meer houd dan van wie ook, en wend mijn ogen af.

Ellen zegt dat ze met me wil trouwen.

'Ellen,' zeg ik, 'je wilt een kind. Je wilt een kind van jezelf en dat kan ik je niet geven. Zoek een andere man nu het nog niet te laat is.'

'Ik wil een kind van jou,' zegt Ellen. 'Ik wil geen kind van een andere man. En ik wil al helemaal geen andere man. Ik wil jou.'

'Dat zeg je nu, maar hoe zal het zijn over een jaar, over twee jaar?'

'Hoe moet ik dat weten Armin? Weet jij wat je over twee

jaar wilt? Weet jij of je dan niet op me bent uitgekeken? Of
je niet in een midlifecrisis zit en er vandoor gaat met een
meisje van eenentwintig.'

'Jezus Ellen.'

'Ja, Jezus Armin.'

'Maar trouwen, waarom wil je in godsnaam trouwen?'

Monika en ik zijn nooit getrouwd geweest. Trouwen, dat
deed je niet, in die tijd. Wij niet in ieder geval. Wij hielden
van elkaar en met zoiets intiems als 'houden van' had de
staat niets te maken. Dat sprak vanzelf. En dus trouwden
we ook niet toen er een kind kwam – principes werden in
die dagen nog niet zo lichtzinnig terzijde geschoven.

We gaven Bo de achternaam van zijn moeder (Paradies),
ook dat sprak vanzelf. Zij had hem tenslotte negen maanden gedragen. Zij gaf hem de borst. Dat een kind automa-
tisch de naam van de vader kreeg, was een uitwas van het
verfoeide patriarchaat. Zoals kruisraketten dat waren. En ka-
pitalisme. (De ambtenaar van de burgerlijke stand ging met
onze naamkeuze niet akkoord. 'Dat kan alleen als u het kind
niet erkent,' zei hij. Ik schold hem uit voor pennenlikker en
klerk, waarop hij weigerde de aangifte verder in behande-
ling te nemen. Uiteindelijk moest er een vrouwelijke collega aan te pas komen om de zaak naar behoren af te wikke-
len – ik ging mopperend akkoord met wat de wet
voorschreef. Maar de volgende dag lieten we een adverten-
tie plaatsen in de krant: 'Geboren: Bo Paradies.' Onze ouders lazen *de Volkskrant* niet. Dat scheelde een hoop gezeur.)

Het huis aan de Ceintuurbaan was eigenlijk te klein voor
ons tweeën en de baby. Er was geen babykamer – en iedereen weet dat een baby recht heeft op een babykamer.

'Jullie moeten verhuizen,' zei Monika's moeder, die ik
nooit op enige liefde voor haar dochter kon betrappen, maar
die wel vond dat zij als geen ander in staat was te bepalen
hoe het leven van haar dochter eruit diende te zien.

'Je kunt toch wel wat kopen?' zei mijn vader.

'Maar pa,' zei ik, 'denk eens aan al het werk dat we in dit huis hebben gestoken. En bovendien: waar vind je in Amsterdam weer een huis met zulk uitzicht?'

Nee, Monika en ik wilden niks kopen (zeker een hypotheek afsluiten bij een bank die geld had uitstaan in Zuid-Afrika!) en we wilden niet verhuizen. Bo sliep tussen ons in, in het tweepersoonsbed. We verschoonden hem op de bank, op de keukentafel, op het aanrecht, op de grond, op het bed, op het bureau tussen de typemachine en de telefoon. We sjouwden hem rond in een slendang.

'Als hippies,' zei Monika's moeder, voor wie de jaren zestig en zeventig een onafgebroken nachtmerrie waren geweest.

'Als negers,' zei haar vader, die iedereen van buiten Limburg een buitenlander vond, en alle negers apen.

'Ik vind het wel schattig,' zei mijn moeder. En mijn vader zei: 'Als het jullie gelukkig maakt, dan zal het dat kind ook wel gelukkig maken. En daar gaat het tenslotte om.'

En ik dacht: zou hij ooit zoiets tegen mijn moeder hebben gezegd over mij? Maar ik vroeg niks.

De eerste keer dat Monika Bo de borst gaf zat ik erbij te huilen als een kind.

'Dat zijn de hormonen,' zei Monika.

'Wil je proeven?' vroeg ze de volgende dag.

Ik was ontzet. Maar even later proefde ik toch. Heel voorzichtig.

'Lekker,' zei ik.

'Leugenaar,' zei zij.

'Het is ook voor baby's en niet voor volwassen mannen.'

Monika zei: 'Ik vind het opwindend.' En ik vroeg: 'Vind je het ook opwindend bij Bo?' En Monika knikte.

De laatste jaren dacht ik nog maar zelden terug aan die tijd. Als ik een meisje zag lopen met opgeknipt rood haar of met gele schoenen. Of als ik een man zag met een kind in een draagdoek. De laatste dagen denk ik nergens anders aan.

'Geef het tijd,' zegt Ellen.

'De pijn moet slijten,' zegt Ellen.

'Laten we er een weekje tussenuit gaan, jij en ik, met z'n tweetjes.'

'Ga op reis, samen met Bo.'

'Ga een week op Ameland zitten, in je eentje, lekker langs het strand lopen.'

'Ik wil weten wie de vader is,' zeg ik. 'Wie de *dader* is. Wie gaat me dat vertellen op Ameland? Staat zijn naam soms in het zand, aan de voet van de vuurtoren?'

(Er is een foto van Monika op het strand van Ameland. Aan haar voeten staat in het zand geschreven ARMIN IS GEK. Ze kijkt triomfantelijk in de lens. Haar haren wapperen in de wind. Onze laatste vakantie samen.)

'Wat weet *jij*, Ellen? Wat weet jij dat ik niet weet? Wat heeft Monika jou verteld? Ze moet je toch *iets* verteld hebben? Vriendinnen onder elkaar, vertel mij wat, jullie bespreken die dingen. Vrouwen praten over dat soort dingen. Wie is het, Ellen, zeg het me: wie, wie, wie?'

Maar Ellen houdt vol van niets te weten.

'Ik zat destijds in Ecuador, weet je nog.'

'Ja maar later, Ellen, toen je terug was. Ze moet toch iets hebben gezegd. Met een omweg misschien. Een stille hint, die jij nooit hebt opgepikt. Jezus, Ellen, jullie waren *intiem* met elkaar in die dagen. Jullie deelden godverdomme *alles*. En nu wil je mij laten geloven dat daarover nooit met een woord is gesproken? Lieg niet tegen me, Ellen. Ik kan geen leugens meer verdragen! O, Jezus Christus Ellen, ga nu niet huilen. Huil niet, huil niet, huil niet! Het spijt me. Ik bedoel het niet zo, maar verdomme Ellen, wat moet ik? Wat moet ik hiermee?'

Later op de avond: 'Wil je met me trouwen?'

'Ja.'

Zes

Ik heb tegen Bo gezegd dat ik geen kinderen meer kan verwekken. Dat mijn zaad niet goed meer is.

'Te lang niet gebruikt waarvoor het bedoeld is.'

Daar moest Bo om lachen. Hij vindt het niet erg dat hij
geen broertje of zusje krijgt. Hij vindt het alleen vervelend
voor Ellen. Dat zei hij: 'Wat rot voor Ellen.'

'Ja,' zei ik.

En dat was dat.

Urenlang kon ik naar Bo kijken toen hij een baby was. Hoe
hij de slaap uit zijn ogen wreef met vuisten die nog geen
vuisten waren. Hoe hij niet-begrijpend de wereld in zich op-
nam met grote, hongerige ogen. Hoe hij boerde. Hoe hij
kwijlde. Hoe hij het mirakel van zijn eigen lichaam ontdekte
(die roze dingen daar, vlak voor mijn ogen, die dingen horen bij mij, die dingen dat ben ik!).

Op de dag dat Bo zich voor het eerst zelfstandig omdraaide, van zijn buik naar zijn rug, kocht ik een fles champagne die ik 's avonds samen met Monika leegdronk. Toen
de drank op was, bedreven we de liefde op de grond, tegen
de wc-deur en ten slotte in bed, op z'n hondjes, terwijl Bo
onder Monika lag te kraaien en met zijn handen naar haar
borsten greep.

'De liefde, Bo,' zei ik, toen Monika al sliep, 'de liefde,
daar gaat het om. De rest is allemaal onzin.'

'God is liefde, Bo,' zei ik, 'en liefde, dat is God. Daar zijn
veel misverstanden over. Want het eerste, dat wordt wel ge-

zegd, maar het tweede, dat geloven maar weinigen.'

Zolang ik mijn ogen openhield voelde ik me prettig dronken, maar zodra ik ze sloot, zag ik rode en gele vlekken in razend tempo ronddraaien. Ik boerde. Bo lachte. Monika zuchtte in haar slaap. En onmiddellijk trok er een schaduw over Bo's gezicht. Daar kreeg ik tranen van in mijn ogen.

'Luister goed, Bo,' zei ik, 'want dit gaat over de *purification of an 86 kDa nuclear DNA-associated protein complex*. En zoals je weet kun je met de hogere wetenschap niet vroeg genoeg beginnen.'

Bo beet op zijn bijtring en keek me aan met grote ogen.

'*Hela cells*,' las ik hardop, '*were cultured in Dulbecco's modified Eagle's medium containing 10 percent fetal bovine serum.* En toen? *Gels were stained with 0.3 percent Coomassie brilliant blue.* Het is je reinste hekserij, Bo! Moderne alchemie!'

Toen Bo werd geboren, had ik net werk gevonden als corrector bij een wetenschappelijke uitgeverij – een baan die ik tot op de dag van vandaag heb behouden. Elke veertien dagen haalde ik een stapel drukproeven op van artikelen die bestemd waren voor een vaktijdschrift voor biochemici, met een wereldwijde oplage van nog geen duizend exemplaren. In het begin had ik grote moeite met het wetenschappelijke jargon, maar al snel las ik de stukken net zo makkelijk als de recepten uit een kookboek, al bleef de betekenis van de recepten me volkomen duister.

'Wie is toch die mysterieuze dokter Dulbecco?' vroeg ik aan Bo. 'En hoe belandde dat embryonale koeienbloed in het arendsmedium? Welke verfhandel verkoopt Coomassie's briljante blauw? En wat blijft daar van over in een oplossing van 0,3 procent – wordt dat niet babyroze?'

Bo gooide zijn bijtring op de grond. Ik pakte hem op en gaf hem terug. Dat was het mooie aan het correctiewerk: dat ik het thuis kon doen, met Bo in de buurt, zodat ik geen dag hoefde te missen van zijn eerste levensjaren.

'Ga jij maar weer werken zodra je daartoe in staat bent,' zei ik tegen Monika, uit puur eigenbelang.

'Ik snap niet dat je meewerkt aan de verbreiding van dat soort onderzoek,' zei ze nadat ze zich een avond lang had verdiept in het vaktijdschrift voor biochemici. 'Voor elk artikel zijn ik weet niet hoeveel proefdieren gedood.'

'Klopt,' zei ik, 'maar we betalen er de luiers van.'

'Ja, ja, verschuil je maar achter Bo. Zadel dat arme kind maar op met jouw medeplichtigheid aan het martelen van dieren.'

'Hoe denk jij dat de pil is ontwikkeld?' vroeg ik.

Monika was weer gaan werken. Bij De Kleine Wereld, een reisbureau dat zich specialiseerde in milieuvriendelijk toerisme. 'Een contradictio in terminis,' vond ik.

'Klopt,' zei Monika. 'Maar als jij belooft daar verder niet over te zeuren, zal ik mijn mond houden over het onschuldig proefdierenbloed dat aan jouw handen kleeft.'

En zo was het gegaan.

Monika ging weer aan de pil. Ik verdeelde mijn aandacht tussen het kruipen en kraaien van Bo en de *temperature dependence of creatine kinase fluxes in the rat heart.*

'*Male Wistar rats,*' zei ik tegen Bo, die zich juist aan de rand van de koffietafel probeerde op te trekken, '*were anesthetized with diethyl ether and injected intravenously with 50 IU heparin approximately 1 minute before the hearts were exised.* Zie je wel, je moeder hoeft zich nergens zorgen over te maken. Eerst de narcose en dan pas het verwijderen van het hart. Heel diervriendelijk allemaal.'

Bo gaf zijn poging om op eigen benen te staan op en begon te huilen. Ik zette met mijn rode pen een *c* tussen de *x* en de *i* van *exised.*

Vanochtend werd ik om vijf uur wakker. Ik ben naar Bo's kamer gegaan en heb op de rand van zijn bed gezeten, zeker een halfuur lang. Ik heb zijn slapende gezicht bestudeerd. De vorm van zijn voorhoofd, de inplanting van zijn haar, zijn wenkbrauwen, de kleur van zijn ogen. (Bo slaapt met zijn ogen open. Dat heeft hij niet altijd gedaan. Het is begonnen toen hij drie was – met een nachtmerrie.) Ik bestudeerde de vlekjes in zijn irissen, de lengte van zijn oogharen, de vouwen in zijn oogleden, de lijn van zijn jukbeenderen, de vorm van zijn neus, de grootte van zijn neusgaten, zijn kaaklijn, de vorm van zijn mond, zijn lippen.

Hij begint in de puberteit te komen. Er zit een puistje op zijn kin.

Ik hoopte op een ingeving, dat iets in zijn gezicht mij plotseling zou doen denken aan… Dat hoopte ik, en ik was er doodsbenauwd voor.

Maar er gebeurde niets. Er kwam niets. Ik ben weer in bed gekropen en in slaap gevallen. Ook in mijn dromen kwam er geen antwoord.

Zeven

Ik heb altijd gedacht dat Bo werd verwekt met toestemming van de Amsterdamse politie.

Ik was met Monika in de Haarlemse Stadsschouwburg naar een benefietvoorstelling geweest. Een aantal bekende acteurs en actrices speelde een stuk ter bestrijding van de honger in Afrika. De directeur van de schouwburg had enkele maanden eerder met De Kleine Wereld een geheel verzorgde avontuurlijke reis per Landrover door de Sahara gemaakt. Als dank voor de goede zorgen, en omdat hij het er levend van af had gebracht, stuurde hij nu regelmatig gratis kaartjes naar het reisbureau. De voorstelling was slaapverwekkend, maar de borrel na afloop maakte alles goed. We herkenden een groot aantal Bekende en Prominente Nederlanders, de zalm was zacht en vet, en ook de wijn, de whisky, ja zelfs de jus d'orange waren van bovengemiddelde kwaliteit. We stopten een enveloppe met een politieke verklaring in de bus die bedoeld was voor gulle giften ('Honger is een rechtstreeks gevolg van de oneerlijke machtsverhoudingen in de wereld. Kanker ga je niet te lijf met aspirine, honger niet met liefdadigheid. Steun de revolutionaire bewegingen in de Derde Wereld!'). We bleven rondhangen tot ver na middernacht, kijkend, drinkend, becommentariërend. Toen we eindelijk vertrokken, werden we door een vermoeide portier naar de artiestenuitgang verwezen, de enige deur die nog niet op het nachtslot zat. Opgewekt stapten we de kille juninacht in. Achter ons trok Jack Spijkerman de deur dicht.

'Laten we naar de nachtegalen gaan luisteren,' zeg ik.

'Nachtegalen?' vraagt Monika. 'Heb je die dan nog in Nederland?'

En dus geef ik haar aanwijzingen hoe ze naar het Amsterdamse Bos moet rijden, waar ze de auto moet parkeren (op het parkeerterrein aan het begin van de Bosbaan) en hoe we van daar naar de nachtegalen kunnen lopen. Als we in het struikgewas vlak bij de oever van de Nieuwe Meer inderdaad de eerste heldere fluittonen horen, kust Monika me plechtig op mijn voorhoofd. 'Waar vind je,' zegt ze, 'in deze tijd nog een man die je 's nachts feilloos naar een plek weet te leiden waar de nachtegalen zingen? Ik laat je nooit meer gaan.'

We gaan op een bankje zitten, dat vochtig is en waarvan de kou onmiddellijk in je billen trekt. Ik kruip dicht tegen haar aan en sla een arm om haar heen. Mijn hand landt op haar borst.

'We doen het te weinig de laatste tijd,' zegt ze.

'Klopt,' zeg ik. 'Daar gaan we verandering in brengen.'

'Ja, maar niet op dit bankje.'

'Nee, niet op dit bankje.'

Ze kust me. Haar lippen zijn droog, maar haar mond is warm en vochtig. Ze bijt in mijn onderlip. De nachtegaal zingt. Ze legt haar hand op mijn kruis.

'Heel goed,' mompelt ze door het kussen heen.

Mijn hand glijdt onder haar jas, trekt haar shirt los. Ik kus haar hals, bijt zachtjes in haar oor, terwijl mijn hand naar haar rug kruipt en onder de rand van haar slip glijdt. Ze heeft ijskoude billen.

'Kom,' zeg ik en trek haar overeind.

'Je bent geil,' zegt ze. 'Ik hoor het aan je ademhaling.'

'Ja,' zeg ik. Ik houd haar tegen en kus haar.

'Jij ook.'

'Ja.'

Bij de auto zegt ze: 'Stap in. Doe de verwarming aan. En de lichten.'

De motor start met een kuch. Monika staat in het schijnsel van de koplampen, haar gezicht bleek, haar ogen zwart. Ze kleedt zich uit. Jas, shirt, gele schoenen, broek, onderbroek (ze draagt zwart ondergoed, ze draagt altijd zwart ondergoed als ze zin heeft in seks) – één voor één belanden de kledingstukken op de motorkap. Als ze helemaal naakt is, spreidt ze haar benen en sluit haar ogen. Ze doet een plas. De gouden straal schittert in het koplamplicht.

'Je bent gek,' zeg ik tegen de binnenkant van de voorruit. 'En prachtig. En verschrikkelijk opwindend.'

'Doe de lampen uit,' roept Monika en ik gehoorzaam. In het donker zie ik de vlugge bewegingen van haar witte lichaam. In een oogwenk staat ze naast de auto en opent het portier.

'Laat de motor aan en zet de verwarming hoger. Mijn God, het is koud. En het is al bijna juli! Kus me, Armin, kus me.'

Ze zit boven op me, duwt haar koude borsten in mijn gezicht. Ik laat met mijn linkerhand de rugleuning naar achter klappen.

'Uit!' zegt ze, en ze glijdt van me af om ook de leuning van de passagiersstoel naar achteren te zetten. 'Uit, uit, uit!'

Ik worstel me uit mijn kleren.

'Ga hier zitten.' Ik schuif onder haar door naar de passagiersstoel. Mijn pik staat scheef als een oude boom. Monika pakt mijn hand en vouwt die rond de stam. 'Kijk,' hijgt ze, 'kijk.'

Ze is op de bestuurdersstoel gekropen, haar handen glijden langs haar benen, naar de donkere driehoek in haar kruis. 'Kijk.'

Mijn hand beweegt zich driftig op en neer.

'Ja!' zegt Monika. 'Goed zo. Lekker?'

'Ja.'

'Ja.'

Ze buigt zich voorover, kust mijn eikel. 'Ho, ho, wacht.'

Ze klimt boven op me, en met een krachtige beweging brengt ze me bij zichzelf naar binnen. 'Ja!'

Ik kijk naar het wit van haar borsten, ik kijk naar het wit van haar ogen. En opeens is het alsof haar hele lichaam licht geeft, Monika is een engel geworden.

'Shit!' gilt ze. Zo snel als ze op me is geklommen, zo snel is ze nu van me af.

'Shit!'

Het voelt alsof er iets breekt aan de basis van dat stijve orgaan dat zojuist nog voor zoveel opwinding zorgde.

'Au!'

Ik kijk achterom naar de bron van het hemelse licht. PO-LITIE staat er in spiegelbeeld tussen de twee ronde koplampen.

'Shihit!' giechelt Monika, die weer op de bestuurdersstoel zit en de rugleuning omhoog laat klappen. Ik laat me terugzakken en pak het eerste het beste kledingstuk dat ik kan vinden. Daarmee bedek ik mijn kruis.

'Jezus!'

Ik hoor een portier opengaan. Voetstappen. Een zaklantaarn schijnt naar binnen. Monika rolt het raampje van het portier omlaag.

'Alles in orde, mevrouw?'

Monika lacht zenuwachtig. 'Ja, alles in orde.'

Het licht glijdt langzaam over haar blote borsten, over mijn buik.

'Een prettige nacht dan nog.'

'Ja, u ook.'

Weer voetstappen, opnieuw het slaan van een portier. Aan het zwenken van het koplamplicht kan ik zien dat het busje achteruit van ons wegrijdt, draait en verdwijnt. Monika buigt opzij, pakt het overhemd waarmee ik me bedekt heb, gooit het op de vloer naast het gaspedaal en begint mijn slappe lul te kussen.

De Renault 5 is een erg kleine auto om de liefde in te bedrijven, maar het kan. Achtendertig weken en drie dagen later baart Monika een zoon. We noemen hem Bo.

Acht

Ik lijd aan het syndroom van Klinefelter, een afwijking van de geslachtschromosomen.

'Normaal hebben mannen een x- en een y-chromosoom, terwijl vrouwen twee x-chromosomen hebben,' legt de arts mij geduldig uit als ik voor een nazorggesprek terugkom in het ziekenhuis. 'Alle eicellen hebben een x-chromosoom, terwijl zaadcellen óf een x- óf een y-chromosoom hebben. Smelten die twee samen dan hangt het dus van de zaadcel af, en van het lot, of er een xx of een xy ontstaat: een meisje of een jongetje.'

Met zijn zilveren pen tekent hij vaardig enkele eicellen en zaadcellen op een velletje papier en zet er de juiste letters bij.

'Wat gebeurt er nu bij het syndroom van Klinefelter? Daar gaat iets mis bij de vorming van de eicellen – een xx-cel in het ovarium splitst zich niet netjes in twee eicellen met een x-chromosoom, maar in één eicel met twee x-chromosomen en eentje helemaal zonder. Als die eicel met de dubbele x vervolgens wordt bevrucht, ontstaat er ofwel een meisje dat drie x-chromosomen heeft, wat meestal geen enkel gevolg heeft, óf er ontstaat een jongetje met de chromosomen xxy. Dat noemen we dan het syndroom van Klinefelter.'

Hij kijkt op van zijn papier. En hoewel hij dezelfde man is die me het slechte nieuws vertelde, nu ruim een week geleden, is het alsof ik hem nu pas voor het eerst echt zie. Hij is een uitzonderlijk kleine man, met de ledematen van een kind, de romp van een oude vrouw, maar met het hoofd van de levenslustige veertiger die hij kennelijk ook is. Blozende wangen, grijsgroene ogen achter een klein, gouden brilletje. Niet onsympathiek, maar hij houdt afstand. Wat ik ook zou doen als ik iemand het syndroom van Klinefelter moest uitleggen.

'Vaak leidt dat syndroom tot duidelijk zichtbare afwijkingen,' vervolgt hij zijn college. 'Patiënten hebben een extreem kleine penis, of krijgen in hun puberteit last van borstvorming. Maar het komt ook voor dat er, zoals bij u, aan de buitenkant niets is te zien. In zulke gevallen komt de afwijking pas aan het licht bij vruchtbaarheidsonderzoek – dan blijkt het sperma geen zaadcellen te bevatten. Dat is helaas bij vrijwel alle Klinefelter-patiënten het geval.'

SEMEN AFGIFTE had er in blauwe letters op een bordje boven het loket in de IVF-kliniek gestaan, waar ik me voor het onderzoek moest melden. In het kleine kantoortje dat achter het loket schuilging was niemand aanwezig. Dus stond ik daar, met in mijn hand een papieren boterhamzakje waarin, heel discreet, het glazen potje met mijn zojuist opgewekte zaadlozing was verborgen. Er liep een jong stel achter mij langs de gang door. Ik keek naar de blinde muur in het kantoortje, waaraan een kalender van een farmaceutisch bedrijf hing. Op een foto stonden drie mannen in witte jassen heel geïnteresseerd naar een reageerbuisje te kijken dat een van hen tegen het licht hield. De kalender was al drie maanden niet afgescheurd. Misschien vond iemand het een boeiende foto. In een hoek van het kantoortje was een deuropening die zicht bood op een smalle gang die weer uitkwam op een kamer. In die kamer zag ik zo nu en dan mensen voorbijlopen in ziekenhuisuniform. Ik probeerde vergeefs hun aandacht te trekken.

Was er geen bel? Nee, er was geen bel.

Moest ik dan roepen? 'Hallo, ik heb hier wat voor u!'

Opeens klonk er achter mij een schelle vrouwenstem. 'Zet u het maar gewoon daar neer hoor, dan vinden ze het wel.'

Ik draaide me om om te zien wie er tegen me gesproken had, maar het enige dat ik zag, was een witgejaste rug die om een hoek verdween.

'Fijn, dankuwel,' mompelde ik. Het schuifraam van het loket stond halfopen, en ik kon mijn broodzakje inderdaad zonder problemen op de balie zetten. Maar het had iets, hoe zal ik het zeggen, bijna iets blasfemisch om zo achteloos om te gaan met mijn zaad. Ik bedoel: ik spoel het net zo makkelijk door het putje van de douche, als het zo uitkomt, maar toch... dat moet ik zelf weten. Als anderen er mee aan de haal gaan, verwacht ik kennelijk dat zij er met grote zorgvuldigheid, zo niet met eerbied, mee omgaan – het is tenslotte levensbrengend zaad (dacht ik toen nog), en ondanks alle medische kennis ook nog altijd een mysterie en een wonder en zo. Ik had beter moeten weten. In een ziekenhuis is zaad zoiets als urine of voetschimmel: iets om te onderzoeken in een lab, iets wat je reduceert tot een reeks cijfertjes op een formulier en vervolgens in een vuilcontainer gooit.

Ik zette het zakje op de balie en juist op dat moment kwam er iemand het kantoortje binnen. Het was dezelfde vrouw van wie ik eerder het stickertje had gekregen met mijn naam en nummer en geboortedatum erop.

Toen ik me aanmeldde had ze gezegd: 'U loopt daar de gang in en dan is het, even kijken, de tweede, nee, de derde deur rechts, kamertje C. Het wijst zich verder vanzelf.'

Kamertje C bestond uit twee ruimtes. In de ene ruimte was een toilet en een wastafel. In de andere stond een meubelstuk dat het midden hield tussen een bed en een onderzoekstafel, met een stalen frame en een bekleding van zwart skai. Daarnaast stond een tafel met een enorme hoeveelheid glazen potjes. Naast de potjes lagen stapels boterhamzakjes en daarnaast weer stapels witte handdoekjes. Aan het voeteneind van het bed bevonden zich, op een klein bijzettafeltje, een televisietoestel en een videorecorder.

Hier moest het dus gebeuren. Soloseks bij het licht van tl-buizen en een flikkerend televisiescherm.

Ik las de instructies op een geplastificeerde poster die aan een van de smetteloos witte muren hing en deed wat me werd opgedragen. Goed uitplassen. Goed wassen met lauw water maar zonder zeep. Toen ging ik op het bed zitten en zette de videorecorder aan. Een vaalgele pik schoof beeldvullend langs een kaalgeschoren schaamlip. Er klonk opgewonden gekreun en van die typische pornovideomuzak. Ik zette snel het geluid zacht, spoelde een stukje terug en vervolgens een flink eind vooruit. De neukpartij waar ik midden in was gevallen (en waar mijn voorganger wellicht op was klaargekomen?), werd gevolgd door een buitenscène. Een bleke man met een typisch jaren-zeventighoofd (haar tot over zijn oren en een weke glimlach rond zijn mond) nam een al even bleke vrouw mee naar het vooronder van zijn woonschip. Het volgende moment zat zij hem op haar knieën te pijpen. Weer een ogenblik later nam hij haar achterlangs, terwijl zij over een hardgroene stoel leunde. Ik spoelde maar weer verder. Een tweede man betrad het schip en deed wat mannen in pornofilms nu eenmaal doen. Opeens volgde de camera een jonge vrouw op een fiets. Haar blonde paardenstaarten wapperden in de wind. Ze stopte bij een boerderij, gooide haar fiets tegen een stalmuur en hup, daar lag ze al in het hooi met een gulzige boerenknecht, de kaplaarzen nog aan zijn voeten.

Het was nog een hele kunst om een shot te vinden dat met enige fantasie opwindend genoemd kon worden, maar ten slotte zette ik de video stil op een halfscherpe vrouwenborst in tegenlicht. Het had, moest ik aan mezelf bekennen, ook wel iets opwindends om in zo'n bijna openbare ruimte te masturberen. Bovendien was de pornofilm lachwekkend, en humor is de ideale partner voor lust. Vandaar de dodelijke ernst van gereformeerde dominees. Ik pakte een potje van de tafel, ging naast het bed staan, keek nog eens goed naar de vrouwenborst op het beeldscherm, sloot mijn ogen en dacht het soort gedachten dat een mens tot een seksuele climax kan brengen. (In tegenstelling tot wat de boeken van feministische kanonnen als Nancy Friday en Shere Hite ons willen doen geloven, fantaseren de meeste mensen – als ze al fantaseren – niet over wilde orgiën, hitsige Duitse herders of bondage, maar gewoon over hun eigen partner, of over partners uit het verleden. Ik vorm op die regel geen uitzondering.)

Het was nog even een gedoe om op het juiste moment het potje op de juiste plek te houden, maar het lukte allemaal zonder morsen. Toen ik de sticker opplakte moest ik hardop lachen. Het was dat ik nog dwars door de wachtkamer moest, waar twee eenzame mannen nadrukkelijk in een blad uit de leesportefeuille waren verdiept, terwijl een keurig stel, dat ik in één oogopslag inschatte als laat-beslissers-in-verband-met-carrière, de geboortekaartjes bestudeerden die een reusachtig prikbord vulden – het was dat ik daar nog langs moest, maar anders had ik vast een liedje gezongen of een deuntje gefloten, zo vrolijk was ik geworden van deze ongebruikelijke zaadopwekking.

Het wachten bij het SEMEN AFGIFTE-loket had mijn vrolijkheid echter snel weer doen omslaan in de zenuwachtige gegeneerdheid waarmee ik de kliniek had betreden. En nu stond ik dus opnieuw oog in oog met de vrouw bij wie ik me had aangemeld, en ik vroeg me af hoeveel minuten er sindsdien verstreken waren en of ik misschien veel te snel klaar was, of er juist zorgwekkend lang over had gedaan, en ik lachte onhandig en zei: 'Alstublieft.' En zij zei: 'Dank u wel.' En dat was dat.

De arts heeft nog een relativerende mededeling voor me.

'U bent,' zegt hij, terwijl hij zijn pen weer in de borstzak van zijn witte doktersjas steekt, 'niet de enige man die als gevolg van het syndroom van Klinefelter onvruchtbaar is en die desondanks een kind opvoedt. Uit een studie in Engeland bleek dat drie van de twaalf getrouwde patiënten die bij het onderzoek betrokken waren een kind hadden. Eén man had zelfs meerdere kinderen. Of de vrouwen van die mannen nog leefden om uit te leggen hoe dat zo gekomen was, dat weet ik natuurlijk niet.'

Dat laatste mompelt hij voor zich uit, alsof hij zich plotseling realiseert dat deze *faits divers* mij weinig zullen helpen bij het onder ogen zien van de krankzinnige waarheid dat mijn zoon mijn zoon niet is. En dat de vrouw die dat op haar geweten heeft er niet meer is. (Er is nog een wrede speling van het lot. Het vruchtbaarheidsonderzoek werd uitgevoerd omdat Ellen na twee jaar vergeefs proberen om zwanger te worden de wanhoop nabij was – wat ik wel begreep, maar niet met haar meevoelde. Bij het intakegesprek in het ziekenhuis werd ons gevraagd naar afwijkingen in de familie. 'Twee ooms en een grootvader van mijn moeders kant,' zei Ellen, 'zijn gek geworden en verkommerd in een gesticht. Ik herinner me hoe die oom in een stoel zat te kwijlen als een hulpeloos kind, en steeds maar vroeg: Waar zijn de tumtummetjes? Wie heeft mijn tumtummetjes gezien? Waar zijn de tumtummetjes toch?' 'Dan bestaat er een kleine kans,' zei de arts, 'dat u erfelijk bent belast met een afwijking die tot krankzinnigheid kan leiden. Voor de zekerheid doen we dus ook maar even een chromosomenonderzoek.' De uitslag was op het punt van de krankzinnigheid geruststellend: als wij in staat waren geweest kinderen te krijgen, zou dat kind net zo weinig, of net zo veel kans lopen om krankzinnig te worden als ieder ander.)

'Het lot,' zeg ik tegen de foto van de twee vrolijke tieners in de alpensneeuw boven het hoofd van de arts, 'is wreder dan een kampbeul.'

'Het heeft geen zin om het lot menselijke eigenschappen toe te dichten,' vindt hij. 'Het lot is blind, zoals alle natuurwetten blind zijn.'

'Hoe weet u dat zo zeker?'

'Nu ja, dat is mijn ervaring. Ik heb nooit enige gerechtigheid kunnen ontdekken in de wijze waarop de een wel en de ander niet door rampspoed en ziekte wordt getroffen. U wel?'

'Ik had het ook niet over gerechtigheid, maar over wreedheid.'

'Dat zijn,' zegt hij, 'twee kanten van dezelfde medaille. Zonder besef van gerechtigheid bestaat er geen wreedheid.'

'Natuurlijk, maar de door u geconstateerde afwezigheid van gerechtigheid werpt toch geen enkel licht op de aard van het lot? Die sluit toch niet uit dat het lot wreed zou kunnen zijn? Wie alleen naar de daden van de kampbeul kijkt, kan op grond daarvan niet vaststellen of deze weet heeft van gerechtigheid – en dus ook niet of hij handelt uit wreedheid of uit volstrekte stompzinnigheid.'

'Nu ja,' geeft de arts zich gewonnen (er zal wel een nieuwe patiënt op hem wachten), 'het staat eenieder natuurlijk vrij om hierover te denken zoals hij wil.'

Maar ik heb geen zin om me te laten afschepen met dooddoeners. Niet nu. Niet onder deze omstandigheden.

'Dat staat eenieder helemaal niet vrij!' roep ik. 'Eerst beweert u dat ik het lot geen menselijke eigenschappen mag toedichten. Vervolgens laat ik u zien dat u niks, niemendal over de aard van het lot weet – menselijk of onmenselijk, wreed of stompzinnig: u weet het domweg niet, en dan wilt u zich er met een smoesje van afmaken!'

Ik ben overeind gesprongen en sta tegen hem te schreeuwen als een viswijf – en dat bevalt uitstekend.

'Nu ja, zo had ik het niet...' mompelt hij.

'Ja precies, daar heb je het al! Zo had u het niet bedoeld! Maar hoe bedoelde u het dan wel? Ik ken uw soort, ik weet precies wat u bedoelt. Dag in dag uit moet ik de onbenullige onderzoekjes van al die collega-wetenschappers van u lezen, al die indrukwekkend ogende verhalen over calciumionophoren en endotheliaalcellen en de duvel en zijn ouwe moer. Autotechniek voor gevorderden, meer is het niet. Hoe werkt stofje A in op stofje B en wat doet dat vervolgens met de doorlaatbaarheid van membraampje X. En omdat jullie met je knappe koppen een paar van die verduiveld inge-wikkelde probleempjes hebben weten te ontrafelen – waar-bij overigens weer een hoop nieuwe en nog ingewikkelder problemen zijn gerezen – uit pure euforie over die prestatie denken jullie nu het hele universum te kunnen verklaren. God is dood! Het noodlot is blind! Alles is toeval! Alles is zinloos, redeloos, stuurloos! Maar zodra iemand de moeite neemt om jullie te vragen die stellingname met kracht van argumenten te verdedigen, dan geven jullie niet thuis. Dan staat het eenieder plotseling vrij om er anders over te den-ken. God, wat een intellectuele lafheid.'

Ik merk opeens dat ik sta te trillen op mijn benen. De ka-mer is vloeibaar geworden, de arts zwemt met bureaustoel en al naar het raam en terug.

'Godverdomme,' kreun ik, terwijl ik terugval in mijn stoel. Ik krimp ineen. Sla mijn handen voor mijn ogen. Ik voel het zout van tranen prikken in mijn ogen, maar ik wei-ger nu te gaan huilen.

'Godverdomme,' zeg ik nogmaals, en maak me zo snel als mijn slappe benen me kunnen dragen uit de voeten. 'Meneer Minderhout!' hoor ik de verbaasde doktersassistente nog roe-pen. 'Meneer Minderhout!'

Het ziekenhuis spant tegen me samen. Gangen gaan over in andere gangen, zonder dat ik kom waar ik wil zijn. Borden wijzen me de verkeerde kant op. Liften voeren me naar ver-keerde verdiepingen. Ik bots tegen rijdende bedden op. Struikel over een kind dat hard begint te huilen. De moe-der scheldt me uit.

Ik vlucht een trapportaal in waar alle trappen naar boven voeren. Ik ren, spring, met drie treden tegelijk omhoog. Ik klim en klim tot ik volkomen buiten adem de hoogste verdieping heb bereikt. Daar is weer een gang. Aan het eind ervan stroomt daglicht naar binnen. Ik strompel erheen. Er staat een bankje naast een koffietafel met wat tijdschriften. Ik val erop neer. Het bloed klopt tegen mijn slapen. Mijn rug is nat van het zweet.

'Gaat het?' zegt een vrouwenstem.

Als ik opkijk lig ik, nog volledig aangekleed, op een ziekenhuisbed naast het raam. Ik heb een weids uitzicht over een park, weilanden, een snelweg. In de verte zie ik twee kerktorens. Abcoude. En ik denk aan mijn vader en ik weet opeens heel zeker dat ik hem nooit zal vertellen wat er met mij aan de hand is. Ik zou me weer even minderwaardig voelen als toen ik nog een jongen was en elke keer ineenkromp als hij zei: 'Wordt het geen tijd dat jij eens achter de meisjes aangaat in plaats van achter de vogeltjes.'

'Ja pa.'

Een torenvalk hangt als een vlieger in de wind.

'Een kopje thee zal u goeddoen,' zegt de vrouwenstem.

Ik draai mijn hoofd naar haar toe. YASMIN AL MUTAWA staat er op het naamplaatje op haar borst.

'Dankjewel, Yasmin,' zeg ik, maar mijn mond is zo droog en mijn stem zo zacht dat ik mezelf niet eens kan horen.

Negen

Gisteravond ben ik uit drinken geweest met Dees, voor het eerst in zeven maanden. Na het tweede glas whisky heb ik hem verteld wat er is gebeurd.

'Mijn God,' zei Dees. 'Heeft u voor ons nog twee whisky's? Dubbele.'

Dees is wetenschappelijk redacteur. We werken voor dezelfde uitgever. Ik ken hem al dertien jaar. Hij is mijn beste vriend. Hij heeft Monika nog gekend.

'Mijn God, Armin, wie had dat van Monika gedacht?'

'Ja.'

'Jezus! En ik heb altijd gevonden dat Bo zo op je lijkt.'

We zitten en zwijgen en drinken onze dubbele whisky's.

'Heb je enig idee?' vraagt Dees. 'Wie het geweest kan zijn?'

'Nee. Jij? Ik bedoel.' We schieten beiden in de lach.

'Nee. Iemand van dat reisbureau waar ze werkte?'

'Kan.'

'Was er niet een of andere ex, die ze nog weleens zag?'

'Ja. Robbert.'

'Jezus man!'

'Ja.'

'Heb je het Bo verteld?'

'Nee. Alleen dat ik geen kinderen meer kan verwekken.'

'Is maar beter.'

'Weet ik niet.'

Er hangt een televisie boven de bar. Een blonde vrouw ligt

op bed. Er branden kaarsen. Ze heeft het laken opgetrokken tot net boven haar borsten.

'Ga nu maar,' zegt de ondertitel.

Een man strijkt met zijn hand door zijn haar. Hij staat bij de slaapkamerdeur, doet een stap richting het bed, bedenkt zich dan, draait zich om en vertrekt. De vrouw begint te huilen. In close-up is te zien hoe haar mascara uitloopt.

'Herinner je je die keer dat we met zijn vieren naar het strand zijn geweest?' vraagt Dees. 'Toen Bo nog een baby was?'

Ik knik.

'Hij zat in zo'n draagdoek bij jou achterop. En je liep maar tegen 'm te lullen, alsof hij vijftien jaar was in plaats van acht maanden. Je raapte schelpen op en stukken drijfhout en liet 'm die zien. Monika en ik bleven staan en keken naar je terwijl je naar de waterlijn liep. En maar praten en maar wijzen. Wat jij niet wist, was dat Bo allang in slaap was gevallen.'

Hij neemt een slok van zijn whisky, kijkt omhoog naar het tv-scherm, kijkt omlaag in zijn glas. Hij ziet er vermoeid uit. Hij ziet er altijd vermoeid uit. Zolang ik hem ken, leidt hij het leven van een verstokte vrijgezel. Veel werken. Ongezond eten. Veel drinken. Weinig nachtrust. Vrijgezellen zijn betrouwbaarder vrienden dan mannen met een vrouw, ik ben zelf het levende bewijs: sinds ik vast met Ellen ben, ziet Dees mij aanzienlijk minder vaak dan vroeger. Maar klagen past even slecht bij Dees als het burgermansleven.

Hij zegt: 'Opeens merk ik dat Monika staat te huilen. Ik kan niet tegen huilende vrouwen. Daar word ik bloednerveus van. Ze pakt mijn hand vast. Ik wil een arm om haar heen slaan, maar dat lukt me niet. Jij rent over het strand met Bo op je rug en hebt niets in de gaten. En ik wacht tot Monika is uitgehuild. Ze laat mijn hand los. Pakt een zakdoek en veegt haar gezicht schoon. Ik wilde vragen waarom ze moest huilen, maar ik kon de juiste woorden niet vinden. Huilende vrouwen, man, dat is nog steeds niks voor mij.'

'Ja,' zeg ik. We bestellen nog twee whisky's en twee bier.

'Van al dat praten krijg je dorst,' zegt Dees.

'Mannen!' zou Monika gezegd hebben, 'gek word ik ervan!'

Later op de avond, als we zijn uitgepraat over de toestand van het gras in de Amsterdam Arena, als de huilende blonde vrouw zich allang van een dakrand heeft gestort omdat de man bij de deur haar opnieuw heeft verlaten, en als de barkeeper is overgestapt op Nederlandstalige hits, dan zegt Dees opeens: 'Het is wel een prachtige casus voor het *nature versus nurture*-debat.'

'Wat, het gras in de Arena of de zelfmoord van die vrouw?'

'Nee, die toestand met Bo.'

'O, dat.'

'Ja, ik bedoel: dat Bo zoveel op jou lijkt, terwijl hij niet jouw genen heeft.'

'O. Ja. Zo had ik het nog niet bekeken.'

Ik had me voorgenomen vanochtend een stapel drukproeven door te nemen, maar in plaats daarvan haal ik de doos met foto's weer te voorschijn. Er is er een van Monika en Robbert. Hij is gemaakt op een feestje in het huis aan de Ceintuurbaan. Ze heffen samen het glas. Robbert grijnst naar de camera. Monika lacht haar Monika-lach: ingehouden en met een cynisch trekje rond haar mondhoeken. (Er waren mensen die om dat lachje een hekel aan haar hadden, maar die mensen zagen de pijn niet die erachter schuilging.)

Kan hij het zijn, Robbert? Nee, uitgesloten. Uitgesloten? Bo lijkt in niets op hem. Nou ja, hooguit wat de kleur van zijn haar betreft. Waar zou Robbert uithangen tegenwoordig? Waarmee zou een mislukte rechtenstudent de kost verdienen? Een adviesbureautje? Een beetje speculeren op de beurs? Zou hij nog in de stad wonen? Ik ben hem al in geen jaren meer tegengekomen. Ik pak het telefoonboek erbij.

Haakman. Humadi. Huisman. Hueber.

Hubeek, H.J.M. mr – onmogelijk.

Hubeek, R.P.F. – verdomd, dat is waar ook. 'De Reformatorisch Politieke Federatie heeft nog voor je gebeld,' zei ik tegen Monika als ik Robbert weer eens aan de lijn had gehad. 'Is Monika thuis?' was het enige dat hij ooit zei. Hij vroeg nooit hoe het met mij was, of met Bo, maar dat leek me niet meer dan logisch. Hij mocht mij niet en ik hem niet. De enkele keer dat Monika nog weleens met hem uitging, kwam ze altijd terug met verhalen over hoe verschrikkelijk bekrompen hij toch was en wat een burgerlulletje. Hij is een keer bij ons thuis geweest, op dat feestje. We hebben elkaar de hand geschud. Hij was niet op de begrafenis. Of hij een overlijdensbericht heeft gekregen kan ik me niet herinneren.

Hubeek, R.P.F. Ik schrijf het adres en het telefoonnummer achter in mijn agenda. Zo te zien woont hij op stand tegenwoordig.

'Kan het iemand bij De Kleine Wereld zijn geweest?' vraag ik 's avonds aan Ellen.

'Natuurlijk niet.'

'Hoezo natuurlijk niet?'

'Wat werkte daar nou aan mannen.'

'Weet ik niet.'

'Je had Chris Verhoeven. Dat was een nicht. Dan had je Chris Winters. Daar viel Monika dus absoluut niet op.'

'Hoezo niet?'

'Type bandplooibroek en bootschoenen. Eengezinswoning in Almere zonder gezin.'

'En verder?'

'En verder? Eh... Nou ja, Niko natuurlijk.'

'Precies.' Ik kende Niko. Reisleider. Bleek gezicht. Sluik,

donker haar. Donkere ogen. Beetje verlopen. Zo'n jongen waarvan mannen niet begrijpen waarom zoveel vrouwen voor hem vallen. Stelletjes die een reis bij De Kleine Wereld boekten om hun relatie te redden, konden maar beter niet in een groep van Niko terechtkomen.

'Niko heeft al menig huwelijk op de klippen doen lopen,' zei Monika toen ze mij aan hem voorstelde op een bedrijfsborrel. (Dezelfde borrel waar ik Ellen voor het eerst ontmoette. 'Dit is Ellen,' zei Monika, 'als ik je ooit voor iemand anders zal verlaten, zal het voor haar zijn.')

'Onmogelijk,' zegt Ellen. 'Dat zou ik hebben gemerkt. Ik was zelf verliefd op die jongen, weet je nog wel.'

'Daarom juist. Dat zou ook verklaren waarom ze het je niet heeft verteld.'

'Armin, Armin, niet doen. Je maakt jezelf gek.'

'Helemaal niet. Ik doe juist mijn best om niet gek te worden.'

Ik heb Niko's naam achter in mijn agenda geschreven. Onder die van Robbert. Ellen heeft geen idee waar Niko tegenwoordig woont of wat hij doet. Maar daar kom ik wel achter: Neerinckx, met ckx, daar kun je er toch niet al te veel van hebben in Nederland.

Tien

Ik geloof dat de eerste woorden die een kind leert, de belangrijkste woorden uit z'n leven zijn.

Het is beter als een kind 'aap', 'noot', 'mies', 'vuur', 'boterham met hagelslag' leert, dan: 'Atari', 'Nintendo', 'Teletubbie', 'my first Sony'. Nog beter is het als hij leert: 'mus', 'mees', 'meeuw', 'merel', 'ekster', 'koperwick'. Of: 'liefde', 'is', 'als', 'wijn', 'en', 'zalfolie', 'allen', 'die', 'zich', 'ermee', 'zalven', 'genieten', 'ervan'.

Bo staat aan de rand van de vijver en gooit broodkorsten naar de eenden. Hij maakt er veel lawaai bij. Vooral als de meeuwen zich in het gewoel op het water storten.

'Meeuw!' roept hij dan. 'Meeuw, mooi!'

Bo is dol op meeuwen. We hebben een vast ritueel voor de zondagochtend: het meeuwenvoerenritueel. Dan gaan we samen op het balkon staan, aan de achterzijde van het huis. De hele week hebben we kapjes brood gespaard. 'Meeuw!' roept Bo. 'Meeuw! Mooi!' En zodra de eerste kokmeeuw over de daken aan komt zeilen, gooit hij zo hard als hij kan een broodkorst de lucht in. Met een heel klein boogje belandt die eerste korst steevast in de tuin van de benedenburen, maar zelden zal dat de meeuw zijn ontgaan. Binnen de kortste keren is de lucht vervuld van meeuwengekrijs, dat al snel het geroep van Bo overstemt. Hoogtepunt is altijd weer het moment waarop een meeuw een stuk brood in zijn baan naar de aarde met een trefzekere duikvlucht weet te onderscheppen. Dan juichen we samen en klappen onze handen stuk. Ook de wilde achtervolging die altijd op een dergelijk huzarenstukje volgt (door jaloerse meeuwen die net drie keer mis hebben gegrepen), kan immer op onze geboeide aandacht rekenen.

'Jaloezie,' zeg ik tegen Bo, 'is een heel gezonde emotie. Mits die gepaard gaat met zware fysieke inspanning.'

Bo kan heel begrijpend knikken.

Eenden vindt Bo ook wel leuk, maar toch duidelijk minder leuk dan meeuwen. Er is in de vijver een eend met een lamme vleugel. De vleugel hangt in het water als een nagekomen mededeling. Bo vindt dat de gehandicapte eend meer recht heeft op een broodkorst dan de andere. Maar hoe hij ook zijn best doet, een broodkorst krijgt de arme vogel niet. Steeds zijn zijn gezonde soortgenoten of de meeuwen hem te vlug af. Voor het eerst is Bo niet blij met de vliegkunst van de meeuwen.

'Weg!' roept hij. 'Weg!' Maar de meeuwen laten zich niet verjagen door een peuter. 'Stomme meeuwen,' moppert hij. En even later: 'Stomme eend.'

Het is een kleine stap van mededogen naar verachting. Een stap die zelfs een kind van twee jaar en drie maanden met gemak kan maken.

'Twee bomen staan er in het paradijs,' schrijft de evangelist Philippus. 'De ene brengt dieren voort en de andere mensen. Adam at van de boom die dieren voortbracht. Hij werd een dier en bracht dieren voort.'

Elf

Bo is naar bed. De tv is uit. Ik probeer een boek te lezen over het uitsterven van dieren, geschreven door een eilandenbiogeograaf (dat lijkt me de laatste tijd een erg aantrekkelijk beroep: eilandenbiogeograaf), maar ik kan me niet concentreren. Ellen komt uit de keuken met twee glazen wijn. Ik leg het boek weg.

'Wat is jouw mooiste herinnering aan Monika?' vraagt ze als we getoost hebben en van de wijn hebben geproefd.

'Die eerste keer dat we met ons drieën samen waren,' zeg ik zonder aarzeling.

'Echt?'

'Echt.'

'Of zeg je dat om mij een plezier te doen?'

'Doet het je plezier?'

'Ja.'

'Maar daar zei ik het niet om. Niemand kon zo delen als Monika.'

'Hoe herinner jij je die avond?' vraagt Ellen.

Zo.

Niemand begon. Opeens waren er drie monden die bij elkaar kwamen, drie tongen die elkaar verkenden. Ellens gezicht was nog nat van de tranen. Monika had paneermeel in haar haar. Over de Ceintuurbaan reed een tram die het huis deed schudden. We kusten elkaar met alle tederheid die in ons was, al het verlangen naar liefde en aandacht en gebor-

genheid van jong-volwassenen. We kusten elkaar uit nieuwsgierigheid.

En zo.

Er zat paneermeel aan Monika's handen. Op een schaal op
het aanrecht lag een zeebaars naar de blauwe tegels van de
keukenmuur te staren. De vis was omringd door flessen en
potjes met kruiden en olie, kappertjes en olijven. Er stond
een aangebroken fles cognac en een pak bitterkoekjes. Er lag
een plastic zak met perziken. Er was een schaal met vreemde, gesneden groentes. Op de ovenplaat lagen verse sardi-
nes. De ovenplaat stond, wegens gebrek aan ruimte, boven
op de koelkast.

'In Toscane hebben ze grotere keukens,' zei Monika verontschuldigend.

'Kan ik helpen?'

'Nee.'

In de voorkamer was de tafel al gedekt, voor drie perso-
nen. Bij elk bord lag een kaartje van geschept papier waarop ze in sierlijke letters het menu had geschreven. Het voor-
gerecht bestond uit crostini's met mosselen en *sarde alla
griglia*. Daarna stond er spaghetti met olijfolie en knoflook
op het menu, gevolgd door *branzino aromatizzato al forno*.
Als groente zou er *finocchio gratinato* worden geserveerd. Het
nagerecht was een Toscaanse verrassing, *pesche con amaret-
ti*. (Een van die menukaartjes vond ik terug in de doos met
foto's. Er zat een vetvlek op. Een traan, dacht ik sentimen-
teel.)

'Drinken we rood of wit?' riep ik naar de keuken.

'Rood vooraf, wit bij de vis. En ik heb nog een dessertwijn gekocht.'

'Je moet wel heel veel van ons houden.'

'Of gewoon aan de drank zijn.'

Ellen kwam met verwaaide haren en een rood hoofd.

'Wind tegen,' zei ze verontschuldigend.

Monika omhelsde haar. 'Ik ben zó blij je weer te zien. God, je ziet er goed uit! Wil je iets droogs aan? Je zweet helemaal. Kom hier, kom mee, ik heb wel wat voor je.' Ik ging de wijn ontkurken.

Misschien kun je zeggen dat het daarmee begon: met Monika die Ellen in haar eigen kleren stak. Ze moeten voor de passpiegel hebben gestaan en het ene na het andere kledingstuk hebben uitgeprobeerd – het bed lag later bezaaid met kleren. Ze giechelden en schaterden.

'We komen zo, hoor!' (Ellen.)

'Schenk de wijn maar vast in!' (Monika.)

Ik keek naar de drie jonge eksters die elkaar achterna zaten in de top van een kastanje. De boom schudde in de wind. Het huis vulde zich met vrolijkheid.

'Kijk!' zei Monika. 'Is ze niet prachtig?'

Ellen draaide een rondje op de bal van haar voet. Ze was prachtig. Ze droeg een gebroken-witte jurk, mouwloos en met korte rok. De jurk was een verjaarscadeau van Monika's moeder geweest. 'Echt iets voor mijn moeder om me een jurk te geven waarin ik bleek en spichtig lijk,' had ze gefoeterd. Ze had het ding nooit gedragen.

Ellen was bruinverbrand, met haar donkere haren zag ze er veel meer uit als een vrouw om Monika te heten dan Monika.

'Je mag hem houden. God, wat ben je toch mooi, vind je niet Armin?'

'Ja.'

Ik reikte de wijnglazen aan.

'Op een prachtige avond.' (Ellen.)

'Op een behouden thuiskomst.' (Monika.)

'Op ons.'

'Hoe was Ecuador?'

Het was die vraag die Ellen aan het huilen maakte.

Dit is het Ecuador waar zij ons mee naar toe nam die avond. Een hooggebergte met eeuwige sneeuw op de toppen. IJle lucht. In de stenige grond wil nauwelijks iets groeien. De indianen dragen wollen poncho's en zwarte hoeden. De Heilige Maagd huilt op elke straathoek. Veranderingen voltrekken zich traag als het verweren van het gesteente.

'We waren naar de markt in Otavalo geweest,' zei Ellen, 'de beroemdste markt van heel Zuid-Amerika. Je kunt er mooie indiaanse spullen kopen: kleden en manden, sieraden van glas en goud. We waren vroeg in de ochtend gearriveerd met de bus uit Quito, en tegen twaalven wisten we genoeg: de markt van Otavalo komt zeker in ons Ecuador-programma.' ('We' dat waren Ellen en haar collega Niko Neerinckx, op wie zij verliefd was, maar die haar liefde niet beantwoordde – maar dat hoorden we pas veel later die avond, toen dat soort intimiteiten geen intimiteiten meer leken en heel vanzelfsprekend werden gedeeld.)

'Niko had wat souvenirs gekocht,' vertelde Ellen, 'en wilde terug naar het hotel om zijn aantekeningen uit te werken en kaarten te schrijven. Ik besloot naar het klooster van San Francisco te gaan, een enorm koloniaal bouwwerk in het centrum van Quito. Voor het beeld van Jodocus Rijke, de man die het klooster stichtte, zat een vrouw te bedelen. Naast haar zat een jongetje van een jaar of tien, met grote, lege ogen. Ik gaf haar wat kleingeld, en we raakten aan de praat. Het geld had ze nodig voor haar zus, zei ze. Die zat in de *cárcel de mujeres*, de vrouwengevangenis, in het noorden van de stad. Waarvoor ze daar zat, vroeg ik. Handel in drugs, zei de vrouw. Ze zat er nu drie jaar, en moest er nog zeven. Al die tijd staarde het jongetje mij aan. Dat is haar zoon, zei de vrouw. Sinds zijn moeder in de gevangenis zat had hij geen woord meer gesproken. Als ik wilde, zei de vrouw, kon ik tegen het einde van de middag wel met haar meegaan om haar zus te bezoeken. Ze zou het vast leuk vinden om een *etranjera* op bezoek te krijgen. Ik stemde toe en beloofde na mijn bezoek aan de kerken en kapellen van het klooster terug te komen naar het standbeeld. Bid voor mijn zuster, zei de vrouw. Ze heet Felicia.'

Ellen nam een slok van haar wijn en staarde enige tijd zwijgend voor zich uit. Toen ze verder sprak was haar stem veranderd. Breekbaarder. 'In de kapel voor Señor Jesús del Gran Poder,' zei ze, 'heb ik een kaarsje gebrand voor Felicia. En later ben ik haar op gaan zoeken in de *cárcel*, samen met haar zus en de zwijgende zoon. Het was zo... Het was zo afschuwelijk.'

Ze begon geluidloos te huilen. Monika kwam naast haar zitten, sloeg een arm om haar heen.

'Die vrouw was een levend lijk. De ratten hadden 's nachts aan haar tenen geknaagd en de wonden waren... Die lucht, die zal ik nooit vergeten... En dat arme joch, dat zat daar maar. Hoe die naar zijn moeder keek! En zij wilde hem niet zien. Ze vermeed zijn ogen.'

Ellen drukte haar gezicht tegen Monika's borst.

'Meisje,' zei Monika, 'meisje toch.' En Ellen huilde en Monika kuste haar haar en wenkte mij met haar ogen. Ik ging aan de andere kant naast Ellen zitten en streelde haar schouders, haar hals, en ik sloeg mijn armen om hen beiden heen en Monika zei: 'Dat is beter.' En Ellen keek op en glimlachte door haar tranen heen.

We kusten tot de tranen opdroogden. Toen gingen we aan tafel. Zo begon het.

'Ja,' zegt Ellen. 'Zo begon het.'

Het is alsof we samen een kamer zijn binnengelopen en achter ons de deur in het slot is gevallen. We zitten heel stil naast elkaar op de bank. We luisteren naar het tikken van de klok. De klok tikt de seconden van veertien jaar geleden weg.

Onder de tafel zetten onze voeten de verkenningen voort. Boven tafel spraken onze ogen een andere taal dan onze monden. Monika vertelde de laatste roddels van De Kleine Wereld. Ik zei iets over biotechnologie en over een experiment met de bacterie *Escherichia coli*. Maar Monika vond dat dat haar eetlust bedierf en vroeg Ellen naar de culinaire gewoontes in de Andes. Ook die bleken de eetlust te bederven. (De populairste gerechten uit de Ecuadoriaanse keuken zijn *yaguarlocro*, een soep met stukjes bloedworst, en *cuy*, geroosterde cavia.)

We aten en dronken en spraken verder over niks. We dronken de dessertwijn op de grond, Monika en ik met onze ruggen tegen de bank, Ellen tegenover ons. Monika legde haar benen over Ellens knie. Ellen legde een hand op mijn been. Ik legde mijn hoofd tegen Monika's schouder. Kaarsen brandden, de wind bracht regen, het was begin augustus maar de avond rook naar herfst.

Toen de dessertwijn op was, vroeg Monika aan Ellen: 'Wil je blijven slapen?'

'Dat is goed,' zei Ellen.

Ik maakte nog een fles rode wijn open en zette een plaat op. Joan Armatrading zong: '*It could have been better*', maar beter kon het niet geweest zijn.

'Je kunt,' zei Monika toen de wijn op was en alleen een tram op weg naar de remise de stilte nog doorbrak, 'op de bank slapen. Maar je mag ook bij ons in bed.'

Ellen keek naar mij. 'Natuurlijk,' zei ik.

'Dat is goed dan,' zei Ellen.

'Op dat moment wist ik al wat er ging gebeuren,' zegt Ellen.

'Echt?'

'Ja. Jij niet dan?'

'Nee... nee, absoluut niet.'

'Wat kende je Monika toch slecht.' Het is eruit voor ze

er erg in heeft. Ze legt gauw haar hand op mijn been. 'Dat bedoelde ik niet zo,' zegt ze zacht. Maar ik laat me niet uit het verleden wegrukken, ik laat de pijn van nu niet toe, niet nu ik me juist wentel in de onschuld van toen.

'Hoe gebeurde het?' vraag ik. 'Wat herinner jij je?'

'Monika zei dat jullie altijd bloot sliepen, maar dat jullie wel wat aan wilden doen, als ik dat liever had. En ik zei, nee, dat hoeft niet. Dan kan ik ook lekker bloot.'

'Mij werd niks gevraagd,' zeg ik.

'Nee,' zegt Ellen. 'Het was Monika's feestje. De hele avond was Monika's feestje.'

'Ja.'

Nooit meer heb ik sindsdien iemand ontmoet die zo dwingend kon zijn, maar die er tegelijkertijd voor zorgde dat er niets gebeurde tegen je zin. (Al gebeurde er ook niet altijd wat je wél wilde, doordat je er niet aan toe kwam bij jezelf te bepalen wat dat was. Veel later heb ik weleens gedacht dat ik me daardoor soms tekortgedaan voelde, maar toen was Monika al dood. En door haar dood voelde ik me nog veel meer tekortgedaan. Haar dood maakte al haar tekortkomingen volslagen onbetekenend – allemaal behalve één, weet ik nu. Maar ook die gedachte verdring ik.) Ik zeg: 'Ik vond het mooi hoe wit je borsten waren, vergeleken bij de rest van je lijf.'

'En jij had een zachtere huid dan ik had verwacht van een man. En Monika was zo mooi wit, bijna doorschijnend.'

'Ja. Bijna doorschijnend,' zeg ik. En dan: 'Zij zal wel begonnen zijn.'

'Nee,' zegt Ellen. 'Ik.'

'Jij? Echt?'

'Ja. Ik lag in het midden. Ik kon jouw benen strelen en haar...'

'Haar wat?'

'Haar... eh...'

'Is het zo begonnen?'

'Ja. Mijn hand kwam toevallig precies op haar… eh… schaamhaar terecht. Ik merkte dat ze dat lekker vond. En ik merkte ook dat jij het lekker vond dat ik aan je been zat.'

'Weet je,' zeg ik, 'dat ik voor die nacht nog nooit met een andere vrouw naar bed was geweest dan met Monika?'

'Nee! Dat meen je niet! Echt? Jezus, wat lief…'

'Het was toch Monika die zei dat ík in het midden moest gaan liggen?'

'Ja. Het bleef haar feestje. En misschien vond ze het ook een beetje bedreigend, haar beste vriendin zomaar naast haar vriend, bloot in bed.'

'Ja,' zeg ik, 'dat heeft ze me later ook wel verteld. Dat ze bang was dat ik verliefd op je zou worden. Ze was zelf verliefd op je, maar dat was anders, zei ze. Ik vond dat ook niet bedreigend. Gek eigenlijk.'

'Monika vond het opwindend om te kijken hoe ik aan je zat,' zegt Ellen.

'Ze vond het ook altijd opwindend als ik aan mezelf zat.'

'Echt waar? O, dat heb ik helemaal niet.'

'Nee, dat weet ik.' Daar moeten we allebei om lachen. Het is een opgeluchte lach. Ik schenk onze glazen nog eens vol. Maar de deur is nog steeds in het slot, we zijn nog steeds gevangen in de gebeurtenissen van veertien jaar geleden.

'Ik vond haar kussen heel opwindend. Ze bewoog haar tong heel langzaam, maar heel… hoe zeg je dat… *determined.*'

'Ik vond het opwindend om te kijken hoe jullie kusten,' zeg ik. 'Ik had Monika nog nooit met een ander zien kussen. Gelukkig.' En weer verdring ik alle gedachten van nu. Ik wil denken zoals ik toen dacht, voelen wat ik toen voelde.

'Monika vroeg of ik wilde zien hoe jij en zij het deden,' zegt Ellen.

'Ja, daar schrok ik wel een beetje van.'

'Maar het was Monika's feestje, dus…'

'Ja.'

'Ik vond het heel mooi, zoals jullie het deden. Zo voorzichtig.'

'Dat was ook wel een beetje omdat jij erbij was. Zo voorzichtig deden we het natuurlijk niet altijd.'

'Ik vond het mooi dat jullie niet klaar wilden komen.'

'Nee, dan hadden we jou buitengesloten.'

'Ja.'

'Jij bent toch ook niet klaargekomen, toen?'

Ellen zwijgt. Neemt een slok van haar wijn.

'Wat!? Ben jij toen... Nee, echt?'

Ellen verslikt zich bijna in haar wijn. 'Jahaaa!' giert ze. 'Jahaaa, ik wel! Maar ik had een maand lang vergeefs lopen hunkeren in Ecuador, weet je nog, naar die verschrikkelijk aantrekkelijke, maar o zo onbereikbare Niko. En toen ik jullie zo bezig zag... Jezus, Armin, neem me niet kwalijk, maar toen moest ik aan hem denken, en toen...'

'Vandaar dat je daarna nog over die jongen begon!'

'Ja. Vandaar.'

'Lief vond ik dat.'

'Ja?'

'Ja.'

Toen Ellen verteld had van haar onbeantwoorde liefde, zei Monika: 'Ik moet jullie ook nog iets vertellen.'

Er speelde weer dat kleine glimlachje om haar lippen, dat glimlachje dat anderen tot woede dreef, maar waar ik evenveel van hield als van haar onbeschaamdheid.

'Ik ben zwanger,' zei Monika.

Ellen en ik keken haar aan, keken elkaar aan.

'Ik ben twee weken over tijd,' zei Monika. 'Vanochtend heb ik een test gedaan. Ik ben in verwachting.'

'Jezus, Monika! Echt?'

'Ja, echt!'

'Waarom heb je dat niet...'

'Dit is toch een veel mooier moment.'

'Mijn hemel!'

'Gefeliciteerd.'

'Dank je wel.'

'O! Oooo!'

'Waar is de wijn? Daar moet op gedronken worden!' Maar de wijn was op en Monika zei dat ze de komende zeveneneenhalve maand geen druppel meer zou drinken.

We hebben ons hoofd op Monika's buik gelegd, eerst ik, toen Ellen. We hebben geluisterd en zachte woorden gesproken. Ik heb haar kut gekust. Haar mooie meisjeskut.

'Ja,' zegt Ellen. 'Ze had een mooie meisjeskut.'

De deur gaat open. Het is Bo. 'Ik kan niet slapen,' zegt hij.

'Wil je een glaasje wijn?' vraagt Ellen. (Wat is het snel gegaan, denk ik. Bo drinkt wijn!)

'Yep,' zegt Bo. Hij draagt een oversized T-shirt (*I'm Bart Simpson, who the hell are you?*) en een joggingbroek. Hij gaat in een stoel zitten en vouwt zijn benen onder zich. Hij wordt lang. Hij wordt vast langer dan ik. Hij neemt een slok van de wijn.

'Niet slecht,' zegt hij. En dan: 'Stoor ik?'

'Nee hoor, je stoort niet.'

Twaalf

Het is met kinderen net als met auto's: vrouwen houden niet meer of minder van ze dan mannen, maar wel anders. Monika was vaker boos op Bo dan ik, maar ze kon hem ook makkelijker vergeven. En als ik haar in een situatie bracht waarin ze moest kiezen tussen hem of mij, dan koos ze zonder aarzeling voor hem. (Waarop ik opzichtig in een hoek ging zitten treuren, alsof niet Bo maar ik het kind was dat haar onvoorwaardelijke liefde nodig had – en misschien was dat ook wel zo.)

Monika hield ook zielsveel van haar kanariegele Renault 5, waarmee ze ooit uit haar verstikkende Roermondse jeugd was ontsnapt. Maar dat ik die auto op een dag total loss reed op een splinternieuwe BMW 524 Turbo Diesel was toeval en had met afgunst niets te maken.

Ik was met Bo naar het Spanderswoud geweest, waar we ons hadden beziggehouden met paddestoelen, elfenbanken, kabouters, mestkevers en spinnenwebben, en hoe we erop gekomen waren weet ik niet meer, maar tegen de tijd dat we Amsterdam weer binnenreden hadden we het over de liefde. Ik zei: 'Liefde is wat leven maakt. Zonder liefde gaat alles dood. Dat is wetenschappelijk bewezen.'

Bo zat op de achterbank, veilig ingegespt in het kinderzitje. Vermoedelijk keek hij naar het langsrazende verkeer, of speelde hij met een kastanje. Ik wil zelfs niet uitsluiten dat hij sliep: onze conversaties wilden nog weleens de vorm aannemen van lange, ononderbroken monologen mijnerzijds ('oeverloos geouwehoer', volgens Monika).

'Er is ooit een gruwelijk experiment gedaan met jonge aapjes,' zei ik. 'Sommige aapjes werden direct na hun geboorte weggehaald bij hun moeder en in een kaal hok gezet, met niets anders erin dan een fles met een tuutje waaruit ze konden drinken. Andere aapjes werden in zo'n zelfde hok gezet, maar kregen een pop die met een zacht stuk vacht was omwikkeld, als een soort namaakmoeder. De derde groep aapjes mocht gewoon bij hun moeder blijven. En wat bleek? De aapjes in de kale hokken zonder pop dronken van de melk en zaten verder doodsbang in een hoekje te verkommeren. De aapjes die een pop hadden gekregen, hielden zich daar krampachtig aan vast – zo krampachtig dat ze zelfs niet bereid waren de pop even los te laten om wat te drinken. Ze verhongerden liever dan dat ze het zonder hun namaakmoeder moesten stellen. Later is ook onderzocht hoe die aapjes zich verder ontwikkelden. Het slechtst af waren de aapjes uit de kale hokken. Die bleken niet met andere apen overweg te kunnen en kregen het eerst last van ziektes. De aapjes die een pop hadden gehad, haalden na het experiment hun groeiachterstand weer in, maar helemaal goed kwam het ook met hen niet meer. Alleen de aapjes die niet van hun moeder werden gescheiden groeiden op tot normale, gezonde apen.'

We kruisten de Vrijheidslaan.

'Papa,' zei Bo opeens, 'papa, er zit een kabouter in de tas.'

'Echt waar?'

'Echt waar.'

'Hoe weet je dat?'

'Hij beweegt.'

'Echt?'

'Echt. De tas beweegt.'

'O-o.'

Op de achterbank naast Bo lag een plastic tas, met een stronk hout erin waarop kleine, goudgele paddestoeltjes groeiden. 'Zullen we die meenemen voor mama?' had ik voorgesteld. Dat vond Bo een goed idee.

'Hiiiiii!' gilde Bo opeens. Ik schrok van zijn schrik, Bo schrok niet gauw ergens van. Ik keek achterom om te zien wat er aan de hand was. Ik probeerde de plastic tas te pakken.

'Huuuuu!' krijste Bo.

Het volgende moment boorden we ons in de kofferbak van een dubbelgeparkeerde, glanzendzwarte BMW.

'Een kabouter?!' zei de verbijsterde eigenaar van de BMW, met een half-opgegeten broodje bal nog in zijn hand.

'Een kabouter?' vroeg de agent van de verkeerspolitie.

'Een kabouter,' mompelde de chauffeur van de takelwagen en hees de bekneld geraakte voorwielen van Monika's auto van de grond.

Ik nam de tas in mijn ene hand, Bo in de andere. Het was niet ver meer lopen naar de Ceintuurbaan. Thuis haalden we het stuk hout te voorschijn. Er was geen kabouter te zien. Wel waren de paddestoelen afgebroken.

'Toch was er een kabouter,' hield Bo koppig vol. 'Ik heb hem zelf gezien.'

Ik stond onder de douche om het zweet en het vuil en de schrik van mijn lijf te spoelen, toen Bo zijn hoofd om de hoek van de deur stak. 'Kom!' fluisterde hij. Hij hield een vinger tegen zijn lippen gedrukt. 'De kabouter is er weer!'

Druipend kwam ik de douche uit. Op de koffietafel lag het stuk hout. Naast het stuk hout scharrelde een spitsmuis wat versuft in de rondte. Bo schaterde het uit! 'Zie je wel! Zie je wel!' De muis kroop van schrik terug in het donkere gat waarin hij zich verscholen had gehouden terwijl wij in het bos de paddestoelen bestudeerden.

'Een kabouter?' zei Monika toen ze thuiskwam.

'Ja, een kabouter,' zei Bo. 'Kijk maar.'

Monika bleef drie dagen chagrijnig tegen me.

'We kopen een grotere,' zei ik.

'Daar gaat het niet om.'

'Een mooiere. Een nieuwere. Eentje die veiliger is.'

'Daar gaat het niet om.'

'Waar gaat het dan wel om?'

'Een auto is geen ding, een auto is een plek. Zoals een huis dat is. De waarde ervan wordt bepaald door de herinneringen die je aan die plek bewaart.'

Ik zei: 'Eigenlijk was het Bo's schuld.'

Niemand kon zo honend lachen als Monika.

Dertien

Robbert Hubeek woont niet op stand, zoals zijn adres doet vermoeden. Hij woont in het meest verwaarloosde huis in het meest verwaarloosde stuk van een straat die maar voor de helft tot het chicste gedeelte van Amsterdam-Zuid gerekend kan worden. Hij betaalt ongetwijfeld een veel te hoge huur (vanwege de locatie) en heeft ongetwijfeld het adres prominent op zijn visitekaartje staan (vanwege de verkeerde indruk die erdoor wordt gewekt).

'R. Hubeek & RPF Consultancy' staat er op het naambordje. Ik druk op de bel, die scheef op de deurpost is geschroefd.

'Armin, jongen, leef jij nog?' had Robbert door de telefoon geroepen toen ik hem belde. 'Wat leuk om weer eens wat van je te horen!' Ik negeerde zijn jovialiteit.

'Ik wil je spreken,' zei ik. 'De laatste tijd word ik nogal geplaagd door herinneringen aan mijn tijd met Monika. Er zijn wat dingen die ik niet goed meer weet, en waarvan ik denk dat jij er misschien licht op kunt werpen.'

'Mijn hemel, arme jongen!' riep hij uit. 'Wil ze je nog steeds niet met rust laten? Maar je bent natuurlijk van harte welkom. Wat herinneringen ophalen, met een glas en een sigaartje erbij, natuurlijk, natuurlijk, kom langs zou ik zeggen! Wat een verrassing! Ik moet je eerlijk zeggen, ik heb lang niet meer aan jullie gedacht, aan jou en Monika bedoel ik. En hoe is het met die kleine van jullie, kom, hoe heet hij ook weer?'

'Bo.'

'Ja, Bo, altijd een rare naam gevonden.'

'Goed,' zei ik. 'Met Bo gaat het uitstekend.'

'Groot geworden natuurlijk.'

'Ja, groot geworden.'

'Nou, je moet me er alles over vertellen. Wanneer kom je?'

Het leek erop dat zijn agenda hem weinig beperkingen oplegde, want eigenlijk, zo zei hij zelf, kon hij altijd. We spraken af in de namiddag. ('Dan kunnen we er wat bij drinken, al mag dat wat mij betreft ook om elf uur 's ochtends al hoor, hahaha!') Het verschafte mij een goed excuus om niet te lang te hoeven blijven.

Robbert moet de trap af komen om de deur open te doen. Hij posteert zich pontificaal in de deuropening, armen over elkaar, brede grijns op zijn gezicht.

'Zo, zo, zo,' zegt hij, me aandachtig opnemend. 'Ook niet helemaal jeugdig meer, zie ik. Al doe je nog aardig je best om dat te verbergen.' Hij wijst met een bleke, vlezige hand naar mijn schoenen. 'Rode All-stars. Die heb ik sinds Monika niet meer over de vloer gehad. Kom d'r in!'

Hij gaat me voor de trap op. Een beige corduroy broek, leren pantoffels. Zijn overhemd hangt nonchalant over zijn broek, maar dat kan niet verhullen dat hij nog altijd geen billen heeft. ('Zie je nou,' had Monika gezegd, toen we hem op een avond tegenkwamen in een café, 'qua billen ben ik er flink op vooruitgegaan. Alleen al daarom zou ik hem nooit meer terug willen.' Maar toen had ze al flink gedronken, en als ze gedronken had wilde ze later seks, en als ze seks wilde begon ze me complimentjes te maken.) Er ligt geen loper op de trap en de verf is gebladderd. In de muur zitten diepe krassen van te grote voorwerpen die naar boven zijn gesleept. Iemand heeft met een zwarte viltstift een davidster op de muur getekend en er 'fuck de boeren Ajax forever!' onder geschreven.

'Treed binnen in mijn nederig stulpje,' zegt Robbert bij een openstaande deur op de eerste overloop. Het huis ruikt naar verschaald bier en sigarenrook en doet ook in andere opzichten denken aan een studentenflat. In de woonkamer staat een kolossale bank met bruine ribfluwelen bekleding vol vlekken. Tegenover de bank een al even kolossale tv en een eikenhouten herenfauteuil met oren. Overal slingeren lege bierflesjes rond. En oude kranten, tijdschriften, onge-opende post, een tv-gids van Veronica. In de boekenkast staan een paar boeken die aan de afgebroken studie rechten herinneren, een zes jaar oude Snoecks-agenda, twee planken vol stripalbums, en het complete oeuvre van A.F.Th. van der Heijden. De enige wandversiering is een ingelijste om-slag van de *Privé* met een onscherpe foto van prins Willem-Alexander en een blond meisje. 'ONTHULLEND! De gehei-me liefde van de kroonprins. Wordt deze blondine straks koningin?'

Ik wil iets zeggen over de tijd die heeft stilgestaan, maar Robbert is me voor. 'Ik weet wat je denkt,' zegt hij. 'De eeu-wige student! En zo is het. Ik maak een studie van de nut-teloosheid van het leven. En ik kan je vertellen: dat is ver-domd interessant. En passant vermaak ik mezelf met een leuke consultancy, waar zo af en toe ook nog wat pecunia uit voortvloeit – dus wat wil een kerel nog meer. Nu ja, een lekker wijf natuurlijk, maar zelfs daarin wordt zo nu en dan voorzien. En bovendien: jij weet als geen ander hoeveel pro-blemen dat kan opleveren, de meer intensieve omgang met het vrouwvolk bedoel ik – hoe lang zijn jullie nu uit elkaar? Kom,' zegt hij, voordat ik op zijn vraag kan reageren. (Uit elkaar? Het kan toch niet dat hij niet weet...) Hij draait zich om en loopt terug naar de overloop. Daar blijkt een twee-de deur toegang te geven tot een kamer die tot onberispe-lijk kantoor is omgebouwd. Glazen tafel, glazen bureaublad, een computer, een parketvloer, een abstract werkje aan de muur, zwartleren stoelen met verchroomde poten.

'Wie consulteren jou in godsnaam?' vraag ik.

'Niet zo schamper doen, hè,' grinnikt hij. 'Middenstanders. Kleine zelfstandigen. Buitenlandse handelsfirma's met namen als Asia Trading International en Kabul Trans. Kleurrijk volk dat ik een beetje wegwijs maak in de jungle van de Nederlandse wet- en regelgeving. Genoeg om ze tevreden te houden, niet genoeg om zonder mij verder te kunnen.'

We keren terug naar de woonkamer met de bank vol vlekken. 'Wat zal het zijn,' vraagt hij, 'whisky, wodka of bier?'

'Whisky.'

'Een Glenfiddich voor een oude vriend met hartzeer. Zelf hou ik het 's middags tegenwoordig bij de nationale verslaving van onze Russische vrienden. Proost.'

We drinken. Ik zoek naar de juiste woorden om aan de ondervraging te beginnen, maar weer is hij me voor.

'Voor de draad ermee, wat zit je dwars? Welke herinneringen houden je uit je welverdiende slaap?'

'Ik heb onlangs reden gekregen,' begin ik omslachtig, 'om te denken dat ik in de jaren dat ik met Monika was, om het zo maar eens te zeggen, niet de enige man in haar leven ben geweest.'

'Ho, ha, als ik het niet dacht!' zegt Robbert. 'Heb je een brief gevonden die ze om niet meer te achterhalen redenen wel geschreven, maar nooit verstuurd heeft? Word je lastig gevallen door een anonieme beller die je midden in de nacht uit je bed belt en in je oor hijgt dat hij zo lekker met Monika kon neuken en dat hij haar zo mist? Hahaha!'

Hij heeft reuzeplezier in zijn eigen welsprekendheid en schenkt zichzelf als beloning nog een glas wodka in. 'Jij nog? Wel doordrinken, hoor, geen beter medicijn tegen hartzeer dan een flinke alcoholverdoving.'

'Wat ik wil weten,' zeg ik, 'is of ze met jou weleens gesproken heeft over een ander. Of ze ooit iets in die richting heeft gezegd.'

'Neu, neu...' Hij kijkt peinzend voor zich uit. 'Waar praatten wij over, in die tijd? We hadden meestal ruzie, dat weet ik wel. Altijd maar weer die linkse, feministische praatjes van d'r. Wat dat betreft was ik blij dat ik haar aan jou was kwijtgeraakt, dat mag je gerust weten. Al voelde ik mij natuurlijk danig in mijn mannelijke eer aangetast, maar dat zul je nu ook wel beter begrijpen dan destijds, hahaha.' Hij zit me recht aan te kijken, met dezelfde grijns op zijn gezicht als waarmee hij me begroette in de deuropening – een grijns die een tomeloze agressie in me oproept. Het is dezelfde grijns, realiseer ik me, als die waarmee hij op de foto naast Monika staat. Welke reden had hij toen, op ons feestje, in ons huis, om zo te grijnzen?

'Ben jij nog met haar naar bed geweest in de tijd...'

'In de tijd dat ze met jou neukte? Jazeker, mijn beste vriend. Jij neukte al met haar toen ze nog bij mij was, of toen ik dacht dat ze nog bij mij was, weet je wel?'

Ik had er rekening mee gehouden dat dit zou komen, en toch... Ik voel me opeens heel klein, in verlegenheid gebracht.

'Daar heb ik spijt van,' zeg ik zwakjes, 'dat dat gebeurd is.' Maar ik meen het niet, en hij weet het, en hij weet dat ik weet dat hij het weet. Hij schenkt mijn glas nog eens bij en laat een lange stilte vallen. Boven onze hoofden steekt iemand de kamer over met dreunende passen.

'Ik zal je iets vertellen,' zegt hij dan, 'dat je niet leuk zult vinden.' Zijn stem is veranderd. Er klinkt een ingehouden woede in door. Maar ook iets van een stille triomf. Van wraak. Ik voel de Glenfiddich branden in mijn maag.

'Herinner jij je dat ik een keer bij jullie op een feestje ben geweest? Hoe lang waren Monika en ik toen al uit elkaar? Zeker anderhalf jaar, misschien wel twee. Zij was een paar maanden zwanger, dat weet ik nog wel, want ze dronk niet meer. En toch, gek genoeg, was het er die avond opeens weer, die aantrekkingskracht tussen mannetjesdier en vrouwtjesdier zal ik maar zeggen, de oudste emotie op aarde.'

Weer kijkt hij me recht aan. Er speelt een dun, vilein lachje rond zijn lippen. 'Ik kan je,' vervolgt hij, 'niet eens zeggen waaraan ik het merkte, maar het was er. Iets in haar blik. Iets in de manier waarop ze aan me zat. Ze had me al zeker een jaar niet meer spontaan aangeraakt. Wat dat betreft kan ik je geruststellen: toen ze eenmaal de moed had om me te vertellen dat ze met een ander neukte, was het ook meteen gedaan met de intimiteit tussen haar en mij. Hoe ik ook aandrong, wat ik ook voor zinnige argumenten bedacht – ik had toch minstens recht op een fatsoenlijke afscheidswip leek mij: ze wilde er niets van weten. Dat heb ik je nog flink kwalijk genomen.'

Hij drinkt zijn glas leeg, schenkt zichzelf nog eens bij. En dan is opeens de grijns weer terug op zijn gezicht. 'Ze heeft me die avond naar de halte van de nachtbus gebracht. Wist je dat?'

Ik wist het niet.

'We liepen over de Ceintuurbaan. Ze liet toe dat ik mijn arm om haar heen sloeg. Ik was natuurlijk dronken. En ik was zo geil als een… als een… Dat zei ze ook: Je bent dronken, zei ze. En je bent geil. Ik zweer het je, ze begon er zelf over. Ik zeg: Ja, ik wil met je neuken. Heel hard en heel lang. Ik had in maanden niet geneukt, ik was er ernstig aan toe. Ze zegt: Dat kan niet. Ik zeg: Dat kan wel. Dat kan niet, zegt ze. Maar wat misschien wel kan… En ze duwt me zo een portiek in. Het was naast een schoenenwinkel, dat weet ik nog. Een soort donkere hoek tussen de winkelingang en een deur met bellen van de huizen daarboven. Daar heeft ze me afgetrokken. Ik wilde dat ze me pijpte, maar dat wilde ze niet. Maakte niet uit. Ik geloof niet dat ik ooit zo snel ben klaargekomen als toen. Dat was nog wel jammer eigenlijk. Dat het zo snel voorbij was. Is dat een antwoord op je vraag?'

Weer die grijns.

Later, in de kroeg, met Dees, sla ik uit pure frustratie met mijn vuist op tafel. Waardoor er een bierglas omvalt. Waardoor het bier van het tafelblad stroomt. Waardoor ik een enorme natte vlek in mijn kruis krijg. Waardoor ik nog bozer word dan ik al ben.

'De klootzak! De arrogante lul! Je had hem moeten zien zitten. Toen 'ie eindelijk klaar was met z'n onthulling van niks stak 'ie er een sigaar bij op. Hoe is het met die zoon van je, God, hoe heettie nou ook weer? vroeg 'ie. De ellendeling. Hij heeft gewoon misbruik gemaakt van de situatie. Monika was hartstikke labiel in die dagen. Dat hebben zwangere vrouwen. Smeerlap dat 'ie is!'

Maar Dees zegt niks. Pas als ik ben uitgescholden en als er weer nieuw bier op tafel staat, zegt hij: 'Je weet nu in ieder geval dat hij niet Bo's vader is. Dat is reden voor enige opluchting, zou ik zeggen. En mocht het waar zijn wat hij zegt, dan zou ik denken: zulke dingen gebeuren nu eenmaal. Wie doet er nu geen dingen die je liever niet van jezelf wilt weten? Zou jij je laagste zonden willen opbiechten aan een jury van alle vrouwen waar je ooit het bed mee hebt gedeeld?'

'Maar ik heb er toch niet om gevraagd Monika's laagste zonden over me uitgestort te krijgen door de een of andere gefrustreerde, sigaren rokende, wodka zuipende nepconsultant?'

'Dat heb je wel.'

'Ja?'

'Ja.'

'Ja, misschien ook wel.'

'Hoe doen jullie dat eigenlijk met dat kind?' had Robbert nog gevraagd.

'Wat?' vroeg ik.

'Nou, ik begrijp dat jullie uit elkaar zijn. Voed jij hem dan op of Monika?'

Hij wist het dus niet.

'Ik,' zei ik.

'En Monika?' vroeg hij.

Ik stond op, deed mijn jas aan en vertrok.

'Eerlijk gezegd,' vervolgt Dees, 'geloof ik geen reet van dat verhaal over dat wegbrengen naar de bushalte, en van dat rukken. Klinkt me veel te veel als de ultieme gefrustreerde-knaapjesfantasie.'

Ik ben heel blij dat Dees mijn vriend is.

Veertien

De dood kondigde zich aan zoals nieuw leven dat doet: met misselijkheid. Op een kille ochtend in april (de eksters waren al weer bezig met het repareren van hun nest) zat ik gebogen over de *roles of alpha- and beta-adrenergic receptors in liver cells* toen Monika plotseling thuiskwam. Ze zag bleek en haar lippen voelden koud aan toen ze me kuste.

'Ik ben niet lekker,' zei ze. 'Misselijk. Hoofdpijn. Ik kruip meteen in bed.'

Ik zette een pot lindebloesemthee, maar toen ik haar die kwam brengen was ze al in diepe slaap. Ik maakte mijn werk af en Monika sliep. Ik bracht Bo naar een vriendje waar hij twee keer in de week ging spelen en Monika sliep. Ik haalde hem weer op en Monika sliep. Vroeg in de avond werd ze eindelijk wakker. Ze voelde zich nog zieker dan die ochtend. Ik zette een nieuwe pot thee en ze dronk twee koppen leeg. Toen wankelde ze naar het toilet, waar ze zeker twintig minuten bleef zitten.

'Ik wil kotsen, maar het lukt niet,' zei ze toen ze eindelijk weer te voorschijn kwam. Haar gezicht was asgrauw. Ze had donkere kringen onder haar ogen en haar anders zo springerige haar hing in futloze slierten omlaag.

'Je hebt griep,' zei ik.

'Ja, en niet zo'n beetje ook.'

'Mama heeft griep,' zei Bo.

'Heb je koorts?' vroeg ik.

'Ik denk het.'

Ik legde mijn hand tegen haar hals, voelde aan haar voor-

73

hoofd, maar ze leek me eerder koud dan warm. Even later gaf de thermometer een temperatuur aan van 40,2. Monika rilde. Ik legde een extra deken over haar heen.

'Mama heeft griep,' zei Bo. 'Mama moet slapen.'

'Ja, mama moet slapen.'

Ik nam hem mee naar de woonkamer, installeerde hem op de bank met een kussen en zijn nieuwe Bert en Ernie-dekbed dat hij van Monika's ouders had gekregen voor zijn derde verjaardag.

'Voorlezen?'

'Ja, voorlezen.'

'In een afgelegen nauw bergdal,' las ik, 'ergens hoog in het noorden van Schotland, zat Leta, een fraaie steenarend, op haar enorme, uit takken en twijgen gebouwde nest te broeden op haar twee grote, gevlekte eieren. Deze zouden spoedig uitkomen, en zij was er blij om.' Tegen de tijd dat de jongen inderdaad uit het ei waren gekropen en de vader-arend erop uit ging om een sneeuwhoen voor zijn kinders te verschalken, was Bo in slaap gevallen. (Dit was in de dagen vóór zijn nachtmerries, toen hij nog met gesloten ogen sliep. Zijn ogen vielen langzaam dicht, schoten weer open in een laatste poging de slaap te verdrijven. Maar dan werd hij toch overmeesterd, met een zucht gaf hij zich over – het mooiste moment van de dag.) *Fulgor de steenarend* en *Timur de tijger* waren Bo's favoriete boeken, terwijl hij van *Kra de baviaan* alleen de omslag mooi vond, vanwege de wilde luipaard die vanaf een rots de baviaan besprong. Verder was het een stom boek, al kon hij me niet vertellen waarom.

Terwijl Bo sliep las ik nog even door tot aan Fulgors eerste jachtlessen – Bo's favoriete passage. 'Fulgor was uitgelaten van blijdschap toen hij zijn eerste muis ontdekte,' las ik. 'Met stijf uitgestrekte poten liet hij zich vallen en plotseling voelde hij iets zachts en wolligs in heftige doodsstrijd onder zijn rechterklauw bewegen. Een seconde later was het diertje dood en een paar minuten lang speelde de jonge arend ermee zoals een kat dat doet, het voortrollend over het gras en het weer grijpend, het daarna een eindje meenemend en weer vallen latend, totdat hij uiteindelijk besloot het op te eten, hetgeen hij in één gulzige hap deed.'

Volgens Monika was Bo nog veel te klein voor dit soort boeken. Maar Bo was het daar niet mee eens en ik trouwens ook niet.

'De dood hoort bij het leven, Mo,' had ik gezegd, 'daar is niks vreemds of wreeds aan. Straks wil dat joch een hamster, en zo'n beestje gaat natuurlijk veel te snel dood, dus kan hij maar beter vertrouwd zijn met het feit dat dieren doodgaan. En mensen trouwens ook.' (Hoe kon ik weten wat er te gebeuren stond? Bovendien: ik kende toen de tekst uit het evangelie van Philippus nog niet die luidt: 'In deze wereld is er goed en kwaad. Maar het goede in de wereld is niet werkelijk goed. En het slechte in haar is niet werkelijk slecht. Maar in deze wereld is er één kwaad dat werkelijk kwaad is. Het wordt het midden genoemd. Het is de dood.' Ik heb Bo nooit meer voorgelezen uit *Fulgor de steenarend*.)

De volgende ochtend voelde Monika zich nog altijd niet beter. De koorts was wel wat gedaald, maar het leek of alle levenslust uit haar was weggezogen. Ze staarde me aan met holle ogen en het enige wat ze zei was: 'Jezus, wat voel ik me beroerd.' Ze dronk haar thee, maar alleen na lang aandringen. En ze wilde niets eten.

'Als je vanmiddag nog niet bent opgeknapt, bel ik de dokter,' zei ik.

'Heeft mama nog steeds griep?' vroeg Bo met een lichte verontwaardiging in zijn stem.

'Ja, mama heeft nog steeds griep.'

's Middags kwam de dokter, zij het niet van harte. ('Kunt u het niet nog een dagje aankijken?' 'Nee, ik kan het niet nog een dagje aankijken. Zo heb ik haar nog nooit gezien.' 'Hoeveel koorts heeft ze?' 'Dat weet ik niet, ze is zo beroerd dat ze zichzelf niet kan temperaturen. Maar gisteravond had ze 40,2 en vanochtend 39,9.' 'Ik zou zeggen...' 'Ik zou zeggen dat u vanmiddag even langskomt.' Hij kwam.)

Ik had de man nooit eerder ontmoet, maar ik kon zien dat hij schrok toen hij Monika zag. De kregeligheid waarmee hij me de hand had geschud was op slag verdwenen. Hij ging op de rand van het bed zitten en sprak haar aan. Haar linkerarm lag wit en breekbaar op de dekens. Ik zag opeens dat er kleine rode vlekjes op zaten.

'Monika?' zei de arts zacht. 'Monika?'

Het duurde even voor ze reageerde. Toen het eindelijk tot haar doordrong dat ze geroepen werd, opende ze slechts heel even haar ogen. Haar lippen vormden een woord, maar er klonk geen geluid.

'Hoe voel je je, Monika.'

'Slecht,' klonk het nu, heel zwak.

'Heb je hoofdpijn?'

Ze knikte, nauwelijks waarneembaar.

'Misselijk?'

'Niet meer.'

'Waar zit de pijn?' Hij zette zijn vingertoppen voorzichtig op haar rechterslaap. 'Hier?' Ze schudde van nee.

'Hier? Hier?'

'Ja.' Iets links van het midden.

'Wanneer is het begonnen?' vroeg hij aan mij.

'Gisterochtend. Om een uur of halfelf kwam ze terug van haar werk. Ze was misselijk, zei ze. En ze had hoofdpijn. Ze heeft de hele middag geslapen. En ook bijna de hele avond. En vannacht. En vandaag vrijwel de hele dag. Maar ze lijkt er absoluut niet van op te knappen.'

'Ik wil toch even de temperatuur opnemen,' zei de arts. 'Dat kan oraal.'

Hij haalde een thermometer uit zijn tas, sloeg hem af op zijn handpalm, deed er een plastic hoesje omheen en boog zich over haar heen. 'Wil je deze even in je mond nemen, Monika?'

Ze deed haar mond open. Hij bracht de thermometer in. Zelfs het op elkaar doen van haar lippen leek haar moeite te kosten. De arts bleef over haar heen gebogen zitten. Hij legde nogmaals zijn hand tegen haar voorhoofd. Bestudeerde haar gezicht.

'Mag ik even?' zei hij en pakte heel voorzichtig haar arm en bestudeerde die zorgvuldig. Terwijl hij wachtte tot het kwik in de thermometer was opgelopen, lieten zijn ogen haar geen moment los. De manier waarop hij haar zijn onverdeelde professionele aandacht schonk, was geruststellend en verontrustend tegelijk. Het 'ts-ts-ts' waarmee hij de temperatuur van de thermometer las, was alleen maar verontrustend.

'Het is beter, Monika,' zei hij, 'als we je voor de zekerheid even naar het ziekenhuis brengen. Het kan zijn dat je een vervelende infectie hebt. En dat kunnen ze in het ziekenhuis beter vaststellen dan hier. Bovendien kunnen ze er daar makkelijker iets aan doen. Heeft u een auto?' vroeg hij mij.

'Niet meer.'

'Hmm. Ze is eigenlijk te ziek om in een taxi te zitten. Ze heeft bijna 42 graden koorts. Kan ik even uw telefoon gebruiken?'

'Natuurlijk.'

Ik wees hem de telefoon. Hij belde het ziekenhuis, legde in het kort de situatie uit en vroeg om een ambulance.

'Er is geen reden voor al te grote ongerustheid, hoor,' zei hij toen hij had opgehangen. 'Het is goed dat u mij heeft laten komen. Ik wil graag wat dingen uitsluiten. Het lijkt me dat ze een infectie heeft opgelopen. Dat kan van alles zijn. Het gaat er vooral om waar die infectie zit. Daar wil ik zekerheid over krijgen. Als u wilt kunt u met haar mee in de ambulance, dan neem ik die kleine jongen wel mee. Ik rijd achter u aan.'

Hij glimlachte, maar zonder overtuiging.

'Wil je dat, Bo?' vroeg ik.

Bo klampte zich vast aan mijn broekspijp en zei niks.

'We zullen zien,' zei de arts.

Ik liep terug naar de slaapkamer en begon wat kleren voor Monika in een tas te stoppen.

'Waar gaat mama naar toe?' vroeg Bo.

'Mama gaat even in het ziekenhuis logeren.'

'Waarom?'

'Omdat ze ziek is. En omdat ze haar daar sneller beter kunnen maken dan hier thuis.'

'O,' zei Bo. 'En ga jij ook naar het ziekenhuis?'

'Ja, maar alleen even om mama weg te brengen. Daarna gaan we weer naar huis.'

'Mag ik mee?'

'Ja. Maar dan moet je wel met de dokter meerijden. Want in de ziekenauto is geen plaats voor ons allemaal.'

'Ik wil niet met die meneer mee.'

'En als ik ook met die meneer meerijd?'

Ja, dan was het goed.

'Kan dat?' vroeg ik aan de arts.

'Maar natuurlijk.'

Ik legde aan Monika uit wat er ging gebeuren. Er verscheen een begin van een lachje om haar lippen en ze knikte nauwelijks zichtbaar met haar hoofd. Toen ze haar de ambulance in droegen, greep een wurgende angst me bij de keel.

De auto van de arts stonk naar sigarettenrook.

Vannacht heb ik in bed aan die arts liggen denken – urenlang. Hoe goed kende hij Monika? Ik dacht aan hoe hij de thermometer in haar mond deed, hoe hij zijn vingers tegen haar voorhoofd legde, hoe hij tegen haar sprak. Zou het mogelijk zijn? Zou hij daarom eerst hebben voorgesteld dat Bo met hém meereed en ik met de ambulance? Zou het kunnen dat hij even alleen wilde zijn met zijn zoon, zijn buitenechtelijk kind? Tientallen keren heb ik die gedachten als belachelijke paranoia van de hand gewezen. Het was helemaal niet waarschijnlijk dat de vader van Bo (wie het ook was) wist dat hij de vader was, al kon het natuurlijk zijn dat hij een vermoeden had. Maar hoe vaak las je niet in de krant dat artsen ongepaste intieme relaties aangingen met patiënten?

Toen de eerste merel begon te zingen was ik er vast van overtuigd dat ik de dader had gevonden, en ik besloot dat er niets anders op zat dan hem op te zoeken en hem met mijn bevindingen te confronteren. Om de een of andere reden vond ik dat je een huisarts dit soort zaken gewoon recht op de man af kon zeggen, zodat de ontmoeting niet zo moeizaam en pijnlijk hoefde te verlopen als die met Robbert. (Bovendien hoefde ik niet bang te zijn voor sterke verhalen die om geen andere reden waren verzonnen dan om wraak te nemen.) En mocht hij toch zelf de vader niet zijn, dan had hij misschien wel een idee over wie het wel was. Misschien had Monika hem in vertrouwen genomen, hij was tenslotte door zijn beroepseed aan geheimhouding gebonden. En die eed zou toch zeker nu niet meer gelden? Ik kon hem er altijd op wijzen dat het belang van een levende jongen boven dat van zijn dode moeder ging en dat Bo er dus recht op had te weten wie zijn vader was, als hij over die kennis beschikte.

Vanochtend heb ik in het telefoonboek gekeken. Hij houdt nog steeds praktijk op dezelfde plek. Volgende week dinsdag kan ik bij hem terecht. Hij klonk verbaasd noch argwanend. Maar ik weiger erover na te denken of dat iets betekent.

'Bacteriële meningitis,' zei de arts in het ziekenhuis.
   'Is dat ernstig?'
   'Dat kan heel ernstig zijn. We moeten hopen dat we er op tijd bij zijn.'

'Want anders?'

'Anders kan het fataal aflopen.'

Ze waren er niet op tijd bij. Drie dagen heeft Monika in het ziekenhuis gelegen. En elke dag ging het slechter. Op de middag van de tweede dag was ze heel even bij kennis. Ik zat naast het bed. Ze zei: 'Armin, ik ga dood, hè?'

Ik zei: 'Nee, Monika, je gaat niet dood. Natuurlijk niet.'

'Ik ga dood. Het spijt me.'

Dat is het laatste dat ze tegen me gezegd heeft. 'Ik ga dood. Het spijt me.'

De drie dagen waren een nachtmerrie. En de week daarna ook. Vervolgens ben ik twee maanden lang als een gek gaan werken.

'Waar is mama?' vroeg Bo af en toe.

'Mama is dood,' zei ik dan.

'O ja. Mama is dood.'

Twee jaar geleden is mijn moeder overleden aan darmkanker. Ze was tweeënzeventig jaar. Mijn vader belde, 's ochtends om halfzes. 'Mama is dood,' zei hij. En ik dacht aan Bo en aan Monika en toen de tranen kwamen wist ik niet om wie ik huilde.

'Ze is in vrede gestorven,' zei mijn vader.

Vijftien

Ze loopt aan de overkant van de straat. Haar gezicht en haar handen wit als sneeuw, haar rode haar als een waarschuwing.

'Pas op!' roept ze.

Ik volg haar blik en zie een kind aan mijn kant van de straat bij de stoeprand staan. Het wil oversteken, maar er is te veel verkeer. Ik loop ernaar toe, het is een meisje van een jaar of zes, met kort blond haar en blauwe ogen die doen denken aan de eerste mooie dag in maart.

'Kom maar,' zeg ik en pak haar hand. Ze lijkt angstig noch verbaasd. Ze glimlacht naar me. We steken samen over.

'Dank je wel,' zegt zij, als ik het kind aan haar heb overgedragen.

'Dank u wel,' zegt het kind.

'Het was niks.'

Als ik naar huis loop blijf ik aan haar denken. Groene ogen. Of grijze... Ik weet het al niet meer. Ze had een mooie stem. Zelfverzekerd, maar ook vriendelijk. Zacht, maar niet meisjesachtig zacht.

Twee weken gaan voorbij, waarin de herinnering aan haar vervaagt. Dan, opeens, is ze daar weer. Ze stapt de tram in op het Leidseplein. De witte huid, het rode haar. Ze komt vlak naast me staan. Groene ogen. Of eigenlijk: groengrijs.

'Hoe is het met dat kleine blonde meisje?' vraag ik. 'Past ze tegenwoordig wat beter op bij het oversteken?'

Ze kijkt me verbaasd aan. Dan schiet ze in de lach. 'Mijn buurmeisje, bedoel je. Vanwege zo'n kind zou je toch alle auto's uit de stad willen verbannen?'

Ze lacht en de tram schudt, maar het een heeft niets met het ander te maken, behalve in mijn hoofd.

'Dat je me herkende,' zegt ze.

'Meteen,' zeg ik.

'Mijn haar.'

'Je ogen.'

'Natuurlijk.' Weer lacht ze. Ze heeft een mooi, gelijkmatig gebit.

'Waar ga je naar toe?'

'Naar de Bijenkorf.'

'Mag ik mee?' Het is eruit voordat ik het weet, en het verbaast me zelf waarschijnlijk nog meer dan haar.

'Je lijkt mijn buurmeisje wel,' zegt ze.

De tram schokt en schudt opnieuw hevig. In de bocht bij het Spui verliest ze bijna haar evenwicht. Met één hand pakt ze mijn jas vast en trekt ze zichzelf weer in balans.

'We kunnen boven koffiedrinken. Met appelgebak,' zeg ik.

'Oké dan,' zegt ze met een plagerige zucht.

Op de Dam komt ze dicht tegen me aan lopen.

'Ik ben bang voor duiven.' Zoiets raars heb ik nog nooit gehoord. Maar dat zeg ik niet.

'Hoe heet je eigenlijk?'

'Monika.'

'Armin.'

'Ar-min,' zegt ze, alsof ze de lettergrepen wil proeven in haar mond. 'Armin. Apart.'

In het restaurant van de Bijenkorf drinken we koffie en eten appelgebak met slagroom. Ze vertelt me over haar buurmeisje. Dat ze er vaak samen op uitgaan, naar het park, naar het museum als het regent, of naar Artis.

'Wat zijn haar favoriete dieren?' vraag ik.

'De olifanten.'

'Heb je haar al verteld dat olifanten kunnen huilen?'

'Nee. Kunnen olifanten huilen?'

'Ja. In de jaren vijftig was er een circusolifant, Sadie, die niet snel genoeg haar circuskunstjes leerde. De olifantentrainer strafte haar voor haar domheid door met een stok tegen de zijkant van haar kop te slaan. Tot zijn verbijstering begon ze verschrikkelijk en hartverscheurend te huilen. Hij heeft haar nooit meer geslagen. En ze heeft toch braaf al haar kunstjes geleerd.'

'En als mijn buurmeisje nou een ander favoriet dier had gehad?' vraagt ze. 'Had je daar dan ook wat over weten te vertellen?'

'Vast wel. Wat is jouw favoriete dier?'

Ze denkt even na. Zegt dan, met die spottende glimlach van haar die mij al volledig voor haar heeft gewonnen: 'De goudvis.'

'De goudvis?!'

'Ja.'

Ik fluit tussen mijn tanden en lach. 'In een alcoholoplossing van 3,1 procent verliest een goudvis binnen zes tot acht minuten zijn vermogen om rechtop te zwemmen.'

'Je liegt! Dat verzin je ter plekke.'

'Helemaal niet. Goudvissen zijn jarenlang gebruikt als proefdieren om de effecten van alcohol op het leervermogen te onderzoeken. Als je een goudvis een kunstje leert in licht alcoholisch water, dan blijkt hij dat kunstje in gewoon water te vergeten, terwijl hij het wel blijkt te kunnen herhalen als hij opnieuw dronken wordt gevoerd. Die proef hebben ze later bij mensen herhaald. En daar werkte het precies zo.'

Ze kijkt me nog steeds ongelovig aan. 'En wat voor kunstjes leerden ze die goudvis dan?'

'Door een eenvoudig doolhof zwemmen, bijvoorbeeld. Je gelooft me niet, maar het is echt waar.'

Ze zegt: 'Je zou een goeie vader zijn.' (Dat ben ik nooit vergeten. Ik was net twintig geworden en had nog nooit over mezelf nagedacht als potentiële vader – vader zijn dat was iets voor mijn vader, en zeker niet voor mij. Dat ze dat zo zei, vond ik verbazingwekkend en opwindend en ontroerend tegelijk. En ik dacht: misschien heeft mijn vader wel gelijk: misschien wordt het tijd dat ik eens achter de meisjes aanga, in plaats van achter de vogels.)

Na de koffie zijn we nog naar de afdeling met damesmode gelopen. Ze paste twee bloesjes, terwijl ik geduldig wachtte bij de ingang van de paskamers, alsof we elkaar al jaren kenden.

'Hoe vind je 'm?' heeft ze twee keer gevraagd.

De eerste blouse stond haar niet, en dat had ze al van mijn gezicht gelezen voor ik iets kon zeggen.

'Laat maar,' zei ze. 'Ik weet genoeg.'

De tweede stond haar prachtig. 'Je bent beeldschoon,' zei ik.

'Slijmerd.' Weer lachte ze erbij.

Toen ik haar naar de tram bracht, vroeg ze: 'Wil je m'n telefoonnummer?'

Zo was het begonnen. Even onverwacht als het was afgelopen.

Zestien

In de eerste acht weken na Monika's dood verrichtte ik de tekstredactie voor twee lijvige studieboeken. Het ene ging over *Photosynthetic mechanisms and the environment*, het andere behandelde *Pancreatic islets*. Als ik die boeken nu uit de kast pak, zijn ze me vreemd. Hele hoofdstukken zijn gewijd aan begrippen die absoluut nieuw voor me zijn. Gedurende die eerste acht weken moet de dronken archivaris van mijn geheugen in coma hebben gelegen.

Als ik de laatste correcties van het boek over de pancreas op de uitgeverij kom inleveren, zegt Dees tegen me: 'Het komend halfjaar heb ik geen werk meer voor je.'

'Dat lieg je,' zeg ik.

'Ja. Maar ga toch maar naar huis. Bel als je me nodig hebt, maar laat de eerstkomende maanden je gezicht hier niet meer zien. Jij moet heel andere dingen doen dan met je neus in de manuscripten zitten.'

Ik ga naar huis, maak het avondeten klaar, dat we voor de televisie opeten, stop Bo in bed, lees hem voor uit Jip en Janneke (waar hij niets aan vindt) en zeg dat hij toch moet proberen te slapen ook al is hij nog niet moe. Daarna drink ik vier glazen whisky, ga op bed liggen en staar net zo lang naar het plafond tot de pijn in mijn ogen mij waarschuwt dat het hoornvlies dreigt uit te drogen. Dan knipper ik een paar keer, en begin opnieuw.

Om vier uur 's ochtends maak ik licht in de woonkamer. Het park is nog in nachtelijk duister gehuld, maar aan de oostelijke hemel gloort een nieuwe dag. Een eerste merel kondigt de ochtend aan. Ik loop naar de boekenkast, sluit mijn ogen en laat mijn vinger langs de ruggen van de boeken glijden. Zonder mijn ogen te openen pak ik een boek van de plank, ga zitten en sla het open.

Ik lees: 'Niemand zal een voorwerp van grote waarde in een kostbaar ding verstoppen, maar vaak heeft iemand ontelbare duizenden verborgen in een ding dat nog geen stuiver waard is. Zo is het ook met de ziel. Zij is een kostbare schat, maar ze is in een nederig lichaam gekomen.'

Daar denk ik over na tot het licht is. Dan zet ik het boek (dat een aantal apocriefe bijbelboeken blijkt te bevatten en waarvan ik niet wist dat Monika het had) terug in de kast en kleed me aan. Ik wek Bo, maak brood en warme chocolademelk, en stop die in een rugzak. Ik trek hem dikke kleren aan en laat hem zijn regenlaarzen aandoen. Even later lopen we hand in hand de nog stille stad in.

'Waar gaan we naar toe?' vraagt Bo.

'We gaan mama zoeken.'

We lopen de Ceintuurbaan af tot aan de Amstel. Op de brug blijven we even staan om naar de vogels te kijken. Een fuut duikt onder en komt weer boven met een vis in zijn bek. Bo klapt in zijn handen. De vogel schrokt de vis naar binnen en verdwijnt opnieuw onder water. Zo gestroomlijnd is zijn lichaam dat hij nauwelijks een rimpeling achterlaat. We zien hem niet meer bovenkomen.

'Misschien heeft 'ie daar beneden wel een nest,' zegt Bo, 'en zit 'ie nu te broeden.'

Langs de Weesperzijde laat een slonzige blonde vrouw twee dobermannpinchers uit. Voor de zekerheid gaat Bo aan de andere kant van me lopen. Bij de Berlagebrug slaan we linksaf. Onder de spoorbrug blijven we net zo lang wachten tot er een trein voorbijkomt. Bo staat met zijn hoofd in zijn nek omhoog te turen.

'Misschien,' zegt hij, als het geraas van de trein is verstomd, 'zit mama in de trein.'

Op het Amstelstation koop ik een dagkaart, zodat we onbeperkt kunnen reizen. Terwijl we op het perron wachten op de eerste intercity naar Nijmegen, drinken we warme chocolademelk. Een man in een pak en een trenchcoat komt naast ons zitten.

'Is het lekker?' vraagt hij aan Bo.

Bo kijkt naar hem op, maar zegt niks. De man pakt een krant uit zijn koffer. ('Moskou siddert' meldt de voorpagina. Ik ben blij dat Bo zich niet inlaat met AD-lezers.) Als de trein arriveert wachten we tot de man opstapt en naar de dichtstbijzijnde deuren loopt. Wij lopen twee deuren verder.

'Ik zag mama,' zegt Bo als we metrostation Holendrecht voorbij zijn geraasd, waar het perron volstaat met mensen op weg naar hun werk. Hij zit bij me op schoot en tuurt ingespannen uit het raam.

'Hoe zag ze eruit?'

'Ze had een groene jas aan. En ze had een paraplu.'

'Niks voor haar om een paraplu mee te nemen als het niet regent,' zeg ik.

'Nee,' giechelt Bo, 'dat is niks voor haar, hihi.'

Op het station in Utrecht zien we Monika opnieuw. Ze is zojuist uit de trein gestapt en loopt over het perron onze kant op. Dit keer draagt ze een spijkerjack en in plaats van een paraplu heeft ze in haar hand een roltas van indiaanse stof uit Guatemala of Mexico. Op haar jack draagt ze een button met de beeltenis van Che Guevara. Haar rode haar staat in stekeltjes overeind. Ze is net naar de kapper geweest. Als ze langs ons raampje loopt knijp ik mijn ogen half dicht en volg haar door mijn wimpers – zo wordt de illusie niet verstoord.

'Wat is haar haar kort,' zegt Bo.

Ik wil hem vragen of hij het mooi vindt, maar er komt geen geluid uit mijn mond.

'Wat is er met die duif gebeurd?' vraagt Bo.

In het zand aan de voet van een vliegden liggen de resten van een houtduif. Dat wil zeggen: de veren.

'Die is opgegeten door een havik,' zeg ik.

'Wat is een havik?'

'Dat is een roofvogel. Zoiets als Fulgor de steenarend, maar dan kleiner.'

'Waarom lees je me nooit meer voor uit *Fulgor de steen-arend*?' vraagt Bo. Dan geeft hij zelf het antwoord: 'Omdat mama vindt dat ik er te klein voor ben.'

'Ja,' zeg ik. 'Omdat Monika vindt dat je er te klein voor bent.'

Op de hei van het Planken Wambuis hebben we Moni-ka nog niet gezien. We hebben brood gegeten en de laatste chocomel opgedronken en Bo begint moe te worden. Hij zegt: 'Ik wil dat mama terugkomt.'

'Mama komt niet meer terug. Maar ze is ook niet echt weg.'

'Mama is dood!' zegt hij boos en schopt met zijn gelaars-de voetje tegen de duivenveren.

'Ja,' zeg ik. 'Monika is dood. Maar we zullen haar nog heel vaak zien.'

'Ik wil haar niet meer zien!'

Daar weet ik niets op te zeggen. Ik til hem op en neem hem op mijn rug. Aan het schokken van zijn kleine lichaam voel ik dat hij huilt. Ik steek de hei over en als ik de bosrand heb bereikt is hij in slaap gevallen. Voorzichtig zet ik hem op de grond, met zijn rug tegen een berkenstam. Ik spreid mijn jas uit over mos en pijpenstro. Bo is wakker geworden.

'Kom maar liggen,' zeg ik.

Naast elkaar vallen we in slaap in de zon. Het laatste dat ik hoor is het klaaglijke miauwen van een buizerd.

In mijn droom loop ik door een stille straat waar geen eind aan lijkt te komen. Ik kijk door de ramen naar binnen en zie overal mensen aan eettafels zitten. Mannen en vrouwen en kinderen. Ieder huis is anders ingericht, maar toch lijken de huizen precies op elkaar. Overal staat de tafel op dezelfde plek. Overal zit een man aan het hoofd van de tafel, de vrouw en drie kinderen wisselen van plaats – maar steeds zijn er twee jongens en een meisje. De mensen zijn zo verschillend als mensen kunnen zijn, maar toch lijken ook zij op een vreemde manier op elkaar: de ouders zijn allen van dezelfde leeftijd, en ook de kinderen zijn aan alle tafels even oud. Allemaal kijken ze, als ik voorbij kom lopen, op van hun borden en staren mij na. Ik loop langs de even kant van de straat. De eerste keer dat ik op de huisnummers let, bevind ik me ter hoogte van nummer 26. Bij nummer 244 is het eind van de straat nog altijd niet in zicht. Ik ga steeds sneller lopen. Ik durf nauwelijks nog naar binnen te kijken, maar ik kan het tegelijkertijd niet laten. Steeds weer die vijf gezichten die opkijken van hun borden: een man, een vrouw, twee zoontjes en een dochter. Een man, een dochter, een vrouw en twee zoontjes. Plotseling hoor ik iemand snikken. Ik kijk om mij heen, maar de straat is leeg. Ik werp een blik op het huis waarvoor ik stil ben blijven staan. Weer de vijf gezichten. Maar niemand die huilt. Het snikken wordt harder. Dan schrik ik wakker. Het snikken komt van Bo.

'Bo! Wat is er?'

Hij ligt op zijn buik, zijn handen in vuisten gebald onder zijn gezicht.

'Wat is er Bo?'

'Ik… ik… ik heb zo naar gedroomd.'

'Wat droomde je dan?'

'Dat ik van de wereld viel.'

'Dat je van de wereld viel?'

'Ja. De wereld was vierkant. En heel ver weg. En ik viel. Ik viel steeds verder weg van de wereld.'

Ik help hem overeind en laat hem dicht tegen me aan zitten. Hij snikt nog wat na, haalt een paar keer zijn neus op. Ik geef hem mijn zakdoek.

Zwijgend zitten we een tijdje naast elkaar. Ik kijk naar de buizerd die nog altijd hoog boven de hei in de lucht hangt. Hij cirkelt op bewegingloze vleugels. Altijd weer bekruipt mij bij het zien van een buizerd het verlangen om zo stil te kunnen rondzweven en neer te kijken op de wereld.

Wat een vreemde droom, denk ik. Dat 'ie van de wereld viel. Het beklemmende gevoel van mijn eigen droom is verdwenen.

'Zullen we gaan?' vraag ik. Ik krijg geen antwoord. Bo zit voorovergebogen op de rand van mijn jas. Een heel klein hoopje mens onder een hoge Ruysdael-lucht.

'Wat doe je?'

'Niks.'

Ik kom overeind en kijk wat hij aan het doen is. Met zijn kleine vingertjes pulkt hij een braakbal uit elkaar.

'Kijk!' zegt hij. Hij houdt een minuscuul stukje bot omhoog, met twee scherpe tandjes eraan.

'De bovenkaak van een muis,' zeg ik.

'Is dit poep?'

'Nee. Het is een braakbal.'

'Wat is dat?'

Ik leg het hem uit

'Was het leuk in de buik van de uil?' vraagt Bo aan de muizenkaak. 'Nee hè? Had je maar beter moeten opletten.'

We pluizen de bal verder uit elkaar. We vinden nog een stuk van een muizenschedel, restjes van veren en kleine botjes die van muizen of vogels kunnen zijn.

'Wat is dit?' vraagt Bo.

Hij houdt een zwart ovale voorwerp tussen zijn vingers. 'Dat is het schild van een kever,' zeg ik. Er liggen nog meer braakballen rond de boom waar Bo deze heeft gevonden.

'Zo te zien zijn ze van een bosuil,' zeg ik. De ballen zijn langwerpig en onregelmatig van vorm met een spits uiteinde, zoals de meeste uilenballen. Ze lijken me te dik voor die van de ransuil en velduilen zitten hier niet. 'Misschien zit 'ie wel in deze boom.'

We kijken omhoog. Bo is de eerste die de vogel ontdekt. Hij zit dicht tegen de stam gedrukt, zijn verenkleed is nauwelijks te onderscheiden van de bast. Hij heeft één rond oog geopend en kijkt ons daarmee indringend aan.

'Hij is wakker!' fluistert Bo.

We blijven een tijdje staan kijken. De uil doet zijn oog weer dicht.

'Hihihi,' giechelt Bo. 'Slaap lekker.'

Het is twaalf uur en ik heb honger. Monika zou geweten hebben waar we hier in de buurt goed kunnen lunchen. Ze kende overal in het land de beste adresjes – hoe ze die kennis had verworven, wilde ze me nooit vertellen. Maar ook in het bos komen we Monika niet meer tegen. We lopen over een modderig pad, tot we aan een verharde weg komen. Een witte paddestoel zegt dat het naar Ede nog 2,1 kilometer is.

We eten pannenkoeken met appel en stroop. Bo neemt ijs toe, ik koffie met cognac. Er staat een papieren parapluutje in Bo's ijs.

'Hé, dat is de paraplu van mama,' zegt hij.

Buiten is de zon weer achter de wolken verdwenen. De serveerster, een meisje met een pony en twee vlechten en puistjes in haar nek, komt het waxinelichtje aansteken dat tussen ons in op tafel staat.

'Is het ijsje lekker?' vraagt ze aan Bo, met een kinderachtig stemmetje.

'Dat is de paraplu van mijn moeder,' antwoordt hij.

'Als je moeder daar maar onder past.'

'Ja hoor, makkelijk. Want mijn moeder is dood.'

Het meisje maakt zich haastig uit de voeten.

Ik staar een tijdje zwijgend naar het gele vlammetje, terwijl Bo zijn ijsje opeet. Als hij klaar is veeg ik zijn wangen schoon.

'Waar gaan we nu naar toe?' Zijn vermoeidheid is helemaal verdwenen.

'Waar je maar heen wilt.'

Hij trekt een diepe denkrimpel in zijn voorhoofd. 'Ik wil naar Roermond.' In Roermond wonen Monika's ouders. 'Dan kan oma Paradies vanavond voor ons koken,' zegt hij.

'Dat is een goed idee.'

In de vestibule gooi ik twee kwartjes in de telefoon en bel naar Monika's ouders.

'Paradies,' zegt haar vader.

'Met Armin. Hoe is het?'

'Armin,' zegt hij alleen maar.

'Bo wil graag komen eten vanavond.'

'Bo wil komen eten,' herhaalt hij, kennelijk tegen zijn vrouw. Ik hoor haar zeggen dat het goed is.

'Dat is goed.'

'Tot vanavond dan.'

'Ja.' Hij hangt op.

Ik heb ze sinds de begrafenis niet meer gesproken en ik bedenk me dat ik geen idee heb wat ik tegen ze moet zeggen.

'Jij moet straks het woord maar doen,' zeg ik tegen Bo.
'Wat?'

'Jij moet het woord doen bij opa en oma Paradies.'

Zeventien

Er ligt een vel papier op mijn bureau waarop een lijst met vragen staat.

Waarom?

Was het passie?

Was het liefde?

Was het wellust?

Was het wraak?

Was het verveling?

Was ze dronken?

Was ze boos?

Waar was ze?

Was ze buiten?

Was ze binnen?

Wat had ze aan?

Wat deed ze uit?

Was het licht aan?

Was het donker?

Was er voorspel?

Was er naspel?

Kwam ze klaar?

Soms merk ik dat ik opgewonden word als ik over die vragen nadenk. Dan haat ik mezelf.

Achttien

'Meneer Minderhout?'

De arts steekt heel even zijn hoofd om de hoek van de deur van de wachtkamer. Ik leg de *Story* weg waarin ik heb zitten lezen over de liefdesbaby van Linda de Mol. Liefdesbaby, denk ik. Was Bo een liefdesbaby?

Als ik de spreekkamer binnenstap staat hij naast zijn bureau, met uitgestrekte hand.

'Meneer Minderhout, dat is lang geleden.'

Hij draagt een hoornen bril, zijn haar is grijs geworden. Hij moet inmiddels een flink eind in de vijftig zijn. Als hij in zijn stoel gaat zitten hoor ik iets kraken in zijn knieën.

'Tien jaar,' zeg ik.

'Neem plaats, wat kan ik voor u betekenen? Of laat ik eerst even vragen: hoe is het met die kleine jongen, Bo, was het niet?'

'Ja, Bo. Die is niet zo klein meer.'

'Hoe oud is hij nu?'

'Dertien.'

'Dertien. Lastige leeftijd. Maar hij maakt het goed?'

'Ja, hij maakt het goed.'

'En u?'

'Bent u Bo's vader?'

'Wat zegt u?'

'Of u Bo's vader bent.'

Hij kijkt me niet-begrijpend aan. Zegt dan, heel langzaam, me geen moment loslatend met zijn ogen: 'U vraagt... of ik... de vader ben... van Bo.'

'Ja, dat vraag ik.' Is hij geschrokken? Nee, ik geloof van niet – of hij is een meester in het verbergen van zijn emoties. Artsen zijn daar vast geoefend in. Maar aan de andere kant: de verbazing is duidelijk van zijn gezicht te lezen.

'Het antwoord op die vraag,' zegt hij, 'luidt nee. Maar misschien wilt u mij uitleggen waarom u denkt, of vermoedt, dat ik de vader van uw zoon zou zijn.'

'Omdat ik de vader niet ben. En dus iemand anders de vader moet zijn.'

'U bent Bo's vader niet?'

'Nee. Ik heb het syndroom van Klinefelter. Ik ben onvruchtbaar. Altijd geweest.'

Hij tuit zijn lippen, perst de lucht uit zijn longen. '*Pffffuuuut.*'

'Ik heb sinds een aantal jaren weer een vriendin. We wilden graag samen kinderen. Dat blijkt onmogelijk te zijn.'

'Mijn hemel,' zegt de arts. 'En nu bent u op zoek naar de vader. De man die…'

'Ja.'

'En toen dacht u…'

'Ja, waarom niet.'

'Ja, waarom ook niet. Het komt voor. De relatie arts-patiënt kan zeer vertrouwelijk zijn en dat dat uit de hand kan lopen lezen we regelmatig in de krant.' Hij pakt een glazen presse-papier van zijn bureau en draait het ding rond tussen zijn vingers.

'Meneer Minderhout,' zegt hij dan, 'ik kan u met de hand op mijn hart verzekeren dat er nooit enige ongepaste intimiteit tussen uw vriendin zaliger en mij heeft plaatsgevonden. Zij was ook beslist niet iemand die daar op aanstuurde.'

'Heeft zij u ooit iets gezegd, destijds, toen ze hier kwam voor haar zwangerschap? Iets opgebiecht?'

'Nee, nooit. Mijn hemel. Het begint langzaam tot mij door te dringen wat dit voor u moet betekenen. Neemt u mij niet kwalijk, maar ik kon alle consequenties niet direct overzien.'

'Weet u dat zeker, dat ze nooit iets heeft gezegd?'

'Ja… ja… dat zou ik mij toch moeten herinneren. Ik heb een goed geheugen, voor zover een mens een goed geheugen kan hebben. Maar daar weet u inmiddels ongetwijfeld alles van.'

Hij slaat een dossiermap open die al die tijd op tafel heeft gelegen. Hij kijkt op de patiëntenkaart. Bladert wat door de papieren. Ik zie een briefhoofd van het ziekenhuis waar Monika is overleden. Hij zucht.

'Alles komt nu natuurlijk bij u terug.'

Maar daar wil ik het niet over hebben. Ik hoef geen medelijden. 'Als u mij niet verder kunt helpen,' zeg ik, 'dan spijt het mij dat ik u hiermee heb lastig gevallen. Ik kan u dus geloven als u zegt dat u niet de vader bent van Bo?'

'U móét me geloven. Ik kan u zeggen… nee, dat zijn uw zaken niet, wat er in mijn praktijk in de loop der jaren is voorgevallen. Niemand is brandschoon, meneer Minderhout, ook ik niet, al is het gelukkig nooit zo ver gekomen dat… Maar waar het Monika betreft, ik kan u recht in de ogen kijken: er is nooit, nimmer iets van dien aard voorgevallen tussen haar en mij. En ik ben dus ook niet de vader van uw zoon.'

Ik stap op. 'Dank u wel. En mocht u zich nog bedenken…'

'Ik zal mij niet bedenken. Er valt niets te bedenken. Mag ik u nog iets vragen?'

Ik sta al met de deurknop in mijn hand. Hij is opgestaan en staat weer naast zijn bureau, zijn hand naar mij uitgestrekt, alsof ik net ben binnengekomen.

'Heeft u het aan uw zoon verteld?'

'Nee. Was dat alles?'

'Ja. Ja, neemt u mij niet kwalijk. Het is natuurlijk mijn zaak niet.'

Ik laat hem naast zijn bureau staan, met zijn uitgestoken hand, en trek de deur achter me dicht.

Negentien

Monika's ouders hebben mij haar dood altijd kwalijk genomen, al weet ik niet precies waarom. Misschien omdat ze niet konden accepteren dat er niemand schuld aan had dat hun enig kind maar vijfentwintig jaar mocht leven. Ze waren er de mensen niet naar om de artsen de schuld te geven. Aan het gezag werd niet getornd, zeker niet aan het gezag dat zich in witte jassen hult. (Zij hadden gewild dat Monika medicijnen ging studeren, maar in plaats daarvan koos ze voor culturele antropologie, een studie die ze na een jaar voor gezien hield. Ook daarvan gaven haar ouders mij de schuld.)

Het enige goede dat ik in hun ogen ooit heb gedaan, althans waarvan zij dachten en waarvan ik dacht en waarvan iedereen dacht dat ik het deed, was het verwekken van Bo. Ze waren, toen Bo werd geboren, beiden nog geen vijftig jaar oud, maar wilden niets liever dan grootouders zijn.

'Ze zijn blij dat ze eindelijk een jongetje hebben om te verpesten,' zei Monika. 'Dat hebben ze altijd gewild. Een dochter was *second best*.'

Bij Monika's ouders was het geen vrije keus dat hun kindertal tot één beperkt bleef, zoals bij de mijne. (Mijn moeder vond zichzelf met negenendertig jaar te oud voor een tweede en ook mijn vader heeft er nooit blijk van gegeven nog graag een tweede kind te hebben gehad. Hij had bewezen waartoe hij in staat was. Dat was hem genoeg.)

'Mijn ouders hebben het hele medische circuit afgelopen,' zei Monika, 'maar een oorzaak is nooit gevonden. En de artsen konden toen natuurlijk nog niet wat ze nu kunnen.'

Op een middag, toen haar ouders bij ons op bezoek waren en onze kleine behuizing hadden bekritiseerd, en de manier waarop wij Bo overal mee naar toe namen, en onze weinig aanzienlijke werkkringen, en ons gebrek aan materiële goederen, en onze politieke opvattingen, en onze denkbeelden over het huwelijk – toen er eindelijk niets meer te bekritiseren over was en ze op het punt stonden naar huis te gaan, toen zei haar moeder opeens: 'Was ík nu nog maar jong geweest, dan had ik IVF gedaan. Dan had ik ook een jongetje gehad.'

's Nachts had Monika in mijn armen liggen huilen. En ik had tegen Bo gezegd: 'Zorg dat je uit de buurt blijft van die enge mensen.' Maar natuurlijk luisterde hij niet. Opa en oma Paradies werden zijn favoriete grootouders.

'Zo jongen,' zegt Monika's moeder tegen Bo, 'heeft je vader het eindelijk aangedurfd om ons weer onder ogen te komen?'

Maar Bo hoort haar niet en is al onderweg naar de bijkeuken, waar opa Paradies zit te werken aan een bouwpakket van een VOC-schip. Hij laat een spoor van zand na op de pas geboende vloer. Zo meteen zal hij vast het VOC-schip omgooien of nog veel grotere schade aanrichten, maar boos zullen ze niet op hem worden, zijn favoriete opa en oma. Boos zijn ze alleen op mij. Uit principe. Of uit lafheid. Maar dat is meestal hetzelfde.

'Dag,' zeg ik tegen de vrouw bij de deur en ze kust me stijfjes en met voelbare tegenzin.

'Hallo,' zeg ik tegen de rug van de man aan de keukentafel, maar hij hoort me niet, hij luistert naar zijn kleinzoon, die iets vertelt over een gouden munt en een zeeroverschat en over de smaak van zand. (Vlak bij het station was de straat opgebroken. Bo had in het gele zand iets zien glinsteren. Het bleek een chocolademunt te zijn en hij stond erop dat hij die op mocht eten. Het zand knisperde tussen zijn tanden.)

Het bezoek duurt vier uur en vijfendertig minuten. We praten wat. We eten wat. We lachen wat. Als ik vraag hoe het ze is vergaan sinds de begrafenis, geven ze geen antwoord. Over hoe het met mij is, vragen ze helemaal niets. Alleen over Bo willen ze alles weten en hoe minder ik zeg, hoe meer vragen ze stellen, en hoe meer vragen ze stellen, hoe meer ik weg wil, weg uit dat verschrikkelijke huis, met zijn steenstripmuren en zijn namaakplafondbalken, en zijn namaak-Hollandse meesters, en zijn ingelijste diploma's van de detailhandelsschool en de slagersvakschool en de vergeelde onderscheidingen van de vakorganisatie voor de vleeshouwerij, en die ene foto, die ene foto waar ik niet naar kan kijken maar waar ik steeds naar kijken moet – die foto waarop Monika staat afgebeeld als een engelachtig meisje, het rode haar keurig gekamd, de randen van het beeld onscherp in een romantische soft-focus. ('Ik was dertien en net ontmaagd, ik haat die foto!' zei Monika. Maar natuurlijk niet waar haar ouders bij waren.)

Ze zijn nadien nog een paar keer in Amsterdam geweest. Maar toen ik bleef weigeren om die bezoekjes te honoreren met een tegenbezoek, stuurden ze me ten slotte een woedende brief.

'We willen niets meer met je te maken hebben. Je hebt ons afgenomen wat ons het dierbaarste is dat wij ooit hebben gehad: onze kleine Bo. Wij hopen dat als hij oud genoeg is, hij de moed zal hebben om zijn vader te trotseren en het contact met ons zal herstellen. Hij zal altijd welkom zijn, maar voor jou doen wij onze deur nooit meer open.'

Toen pas, toen ik die brief had gelezen en herlezen, toen ik hem in honderd stukken had gescheurd en in de gootsteen had verbrand – toen pas kwamen de tranen. Dat ze met geen woord over Monika repten, dat ze Bo het dierbaarste noemden dat ze ooit hadden gehad, dat brak uiteindelijk het schild dat ik had opgebouwd.

Ik huilde tot de tranen op waren. En daarna huilde ik nog veel meer.

Twintig

Niko Neerinckx woont in Haarlem, met een vrouw en drie kleine kinderen – twee jongens en een meisje. Hij is nog altijd veel op reis, niet meer voor reisbureaus, maar voor ideële organisaties die in verre landen goede dingen doen voor de mensheid, en die daar via de modernste communicatiemiddelen ruchtbaarheid aan willen geven. Niko Neerinckx heeft een videoproductiebedrijf, genaamd Wandering Eyes. (Detectivewerk is saai, maar ook verrassend eenvoudig. Ik wil er wel mijn beroep van maken.)

Vanochtend heb ik besloten dat ik eerst eens wil kennismaken met zijn vrouw. Het is een beslissing die min of meer uit nood is geboren, doordat Niko nog drie weken op Borneo verblijft – dat heeft een vriendelijke medewerkster van Wandering Eyes me verteld. Maar het is ook een beslissing die mijn hart sneller doet kloppen en me klamme handen geeft. Sinds het vergeefse bezoek aan Monika's oude huisarts is bij mij de overtuiging steeds sterker geworden dat Niko Neerinckx de man is die ik zoek. Ik heb daarvoor drie redenen, die ik in mijn agenda heb gezet bij de dag dat ik hem lokaliseerde. Er staat:

N.N. was spannend.
N.N. was veilig (veel in buitenland).
N.N. had voorkeur voor bezette vrouwen.

Nu ik weet dat hij niet thuis is, en ik zijn vrouw kan leren kennen voor ik hem opnieuw ontmoet, ontspinnen zich in mijn hoofd allerlei wilde scenario's. Van mijn bezoek aan Robbert Hubeek heb ik geleerd hoe belangrijk het is om op een of andere manier te kunnen vaststellen of iemand liegt of niet. Om te beginnen moet ik er nu dus voor zorgen dat *mevrouw* Neerinckx (die Anke heet) niet weet wie ik werkelijk ben, zodat *meneer* Neerinckx (Niko) niet zal weten dat ik haar gesproken heb. Op die manier kan ik zijn verhalen afzetten tegen de hare en eenvoudig achterhalen wanneer hij liegt. En als hij liegt... bij de gedachte daaraan krijg ik onmiddellijk de gruwelijkste wraakfantasieën. Maar zo ver is het nog niet. Ik moet kalm blijven. Nadenken. Scherp zijn. Ik moet een strategie bedenken om haar aan de praat te krijgen. Daartoe sluit ik mezelf een paar uur op in mijn werkkamer, met een kan sterke koffie. Als de koffie op is, weet ik precies wat me te doen staat.

Tegen Ellen zeg ik dat ik vanavond uit drinken ga met Dees. Ik weet dat ze zich zorgen maakt over mijn hernieuwde drankzucht, dat ze vreest dat het weer net zo erg zal worden als in het jaar na Monika's dood – het jaar waaruit zij me heeft gered. Maar ik heb de periodieke verdoving van de alcohol nodig om overeind te blijven, en ook de ruimte die het excuus van kroegbezoek me verschaft. Het is alsof ik Ellen en Bo van me afduw om ruimte te creëren voor wat komen gaat, wat komen móét, wil ik niet gek worden van wanhoop en verwarring.

In de loop van de middag wordt het tot mijn vreugde vreselijk slecht weer. Loodgrijze wolken jagen laag over de stad en de wind zwiept hagel en regen tegen de ramen, geselt de fietsers en wandelaars. De kans dat Anke Neerinckx mij in ieder geval even binnen zal laten, wordt daarmee aanzienlijk vergroot. (Dat verbaasde me, dat ze zich Neerinckx noemt – het verbaast me altijd dat vrouwen van mijn eigen leeftijd hun naam opgeven voor die van hun echtgenoot. Ik heb Ellen plechtig laten beloven dat zij dat niet zal doen, anders zal ik nooit met haar trouwen. Maar misschien heette Anke Neerinckx wel Naaktgeboren van zichzelf, of Planken. Je moet nooit te vroeg oordelen. Ze had in ieder geval een heldere, zelfverzekerde stem toen ik haar aan de telefoon kreeg. 'Ik ben op zoek naar de familie Demircioglu,' zei ik. 'Die woont hier niet,' zei zij. 'Neemt u mij niet kwalijk, dan moet ik verkeerd gedraaid hebben. Is dit nummer…' En ik noemde haar nummer maar veranderde het laatste cijfer. 'Nee,' zei ze. 'U heeft op het eind een vier gedraaid en geen vijf.' 'Neemt u mij niet kwalijk.')

Als ik na het avondeten, dat ik slechts met de grootste moeite naar binnen kon krijgen, eindelijk in de trein naar Haarlem zit, komt er een weldadige kalmte over me. Vanavond zal ik slechts doen wat ik doen *moet*, zonder aarzeling en met een doortastendheid die ik niet meer heb gekend sinds die eerste keer dat ik samen met Monika in de tram stond en haar vroeg of ik haar mocht vergezellen naar de Bijenkorf. Vanavond zal ik mijn leven weer in eigen hand nemen. Misschien, denk ik bij mezelf, zal dat uiteindelijk het nut van deze nachtmerrie zijn: dat ik wakker schrik uit de halfslaap waarin ik al zo lang verkeer, eigenlijk al sinds de dood van Monika.

Ik kijk naar de nieuwe kantoren en fabrieken van het westelijk havengebied, die langzaam worden opgeslokt door het invallend duister, en ik zeg (zo hard dat de vrouw aan de andere kant van het gangpad even mijn kant op kijkt): '*This is your wake-up call from the other side of the river Styx.*'

Ik sta aan de overkant van de straat in een portiek en kijk naar de verlichte ramen van huize Neerinckx. Moeder brengt de kinderen naar bed. Tenminste: dat maak ik op uit wat ik zie. In de woonkamer brandt een schemerlamp maar er is niemand te zien. Op de bovenverdieping waren zojuist nog drie ramen verlicht, nu nog twee: één klein raampje van wat vermoedelijk een douche of een wc is, de ander van een slaapkamer. De gordijnen zijn dicht, maar er valt een streep licht door een kier en de gordijnstof laat een flauw schijnsel door.

Af en toe zie ik een schaduw bewegen over het geelgroene vlak. Het badkamerraam wordt plotseling een zwart gat. Even later verschijnt er een vrouw in de woonkamer. Ze loopt naar de achterkant van de kamer en verdwijnt uit zicht. Na een kleine minuut komt ze weer te voorschijn met een mok in haar hand. Ze heeft donker haar, dat ze heeft opgestoken. Ze draagt een groene trui en een zwarte broek of rok, dat kan ik niet goed zien. Ze gaat zitten op een bank die loodrecht op het raam tegen een lange muur staat. Voorzichtig neemt ze een slok, ze houdt de mok aan haar lippen. Dan neemt ze opnieuw een slok. En nog één. Ze staat op en trekt de gordijnen dicht (toch een broek, geen rok). De gordijnen zijn gebroken wit. Nog even zie ik haar schaduw, dan beweegt er niets meer.

Het waait nog steeds flink, maar het is opgehouden met regenen. Ik besluit nog een kwartier rond te gaan lopen. Het is even over achten. Misschien kijkt ze naar het Journaal. Het weerbericht lijkt me een geschikter moment om aan te bellen. Bovendien heb ik zo nog wat tijd om mijn verhaal nog één keer door te nemen. De omstandigheden hebben mij deze buitenkans in de schoot geworpen, ik mag hem nu niet verknoeien.

'Goeienavond, mijn naam is Aldenbos, Erik Aldenbos.' 'Goeienavond, sorry dat ik u lastig val.' Nee, niet lastig val. 'Sorry dat ik u stoor.' Nee, toch eerst voorstellen, dat wekt vertrouwen. 'Goeienavond, Aldenbos is de naam. Erik Aldenbos.'

'Goeienavond, ik ben Erik Aldenbos. Sorry dat ik zo plompverloren bij u op de stoep sta, maar ik kon uw achternaam niet achterhalen en zodoende kon ik niet eerst even bellen.'

Ik was niet van plan geweest om dit te gaan zeggen, maar toen ik voor de deur stond zag ik nergens een naambordje en toen Anke Neerinckx opendeed kwam deze tekst als vanzelf over mijn lippen rollen.

Ze kijkt me afwachtend aan, de deur niet verder open dan nodig is om mij goed te kunnen opnemen. Ze heeft het buitenlicht aangeknipt, ik knijp een beetje met mijn ogen tegen het felle licht. Ik ben bang dat ik daardoor een onbetrouwbare indruk wek.

'Ik heb hier vroeger gewoond,' zeg ik vlug. 'Als kind. Jaren geleden. Er is toen iets gebeurd. Het is een lang verhaal. Maar waar het om gaat, is dat ik toen op zolder een brief heb verstopt. En die brief, nou ja, ik zei al: het is een lang verhaal, maar nu is mijn moeder onlangs overleden en moest ik denken aan die brief, en ik dacht: wat zou het mooi zijn als ik die kon terugvinden. En toen dacht ik: waarom probeer ik het niet gewoon. Zodoende.'

Ik spreid mijn armen in een gebaar van hulpeloosheid en glimlach naar haar.

'Hier op zolder?' zegt ze.

'Ja. Tussen twee balken. Hij zat goed verstopt. We zijn nogal plotseling verhuisd, destijds. Ik heb er niet aan gedacht hem te voorschijn te halen. En toen ik erachter kwam dat ik hem was vergeten, had ik de moed niet om de nieuwe bewoners erover lastig te vallen. Er is veel dat je als kind durft, maar als volwassene nooit meer zou doen. Maar er is ook veel dat je dan niet durft, maar waarvan je later denkt: waarom zou ik het niet proberen, nietwaar?'

Ze glimlacht, maar ik heb haar nog niet waar ik haar hebben wil. Ze zegt: 'Ik zou het prettiger hebben gevonden als u overdag was gekomen.'

'Natuurlijk,' zeg ik. 'Ik was ook niet van plan om nu aan te bellen. Ik zocht het naambordje, zoals ik al zei, zodat ik eerst kon bellen.'

'De naam staat op de brievenbus, bij het tuinhek. Neerinckx. Met ckx.'

'Och, neemt u mij niet kwalijk!' Ik kijk naar het tuinhek, waar inderdaad een groene brievenbus staat. Als ik daadwerkelijk van plan was geweest om alleen het naambordje te zoeken, had ik die brievenbus zeker niet over het hoofd gezien. Ik had me gewoon aan mijn ingestudeerde tekst moeten houden, en niet opeens over dat naambordje moeten beginnen. Ik voel de vastberadenheid verkruimelen.

'Kan ik u dan,' vraag ik, 'morgen misschien even bellen?' Ik voel me belachelijk. Een leugenaar. Ik ben ervan overtuigd dat ik morgen niet eens de moed zal hebben om haar nog te bellen.

'Dat heb ik liever, ja. Ik zal het nummer wel even voor u opschrijven.'

Ze wil de hal inlopen, maar de deur waait achter haar open en ze draait zich weer om. Ik zie dat ze aarzelt, ze is te netjes opgevoed, te aardig om de deur voor iemands neus dicht te doen.

'Komt u anders maar even binnen,' zegt ze. 'Het is zulk rotweer.' En ze glimlacht en houdt de deur voor me open. Ik loop langs haar heen de gang in. Zodra ik over de drempel stap voel ik mijn zelfvertrouwen terugkeren.

'Ik zat naar het Journaal te kijken. Het weerbericht was net begonnen. Ik geloof niet dat ze veel verbetering verwachten voor de komende dagen.'

Vanwaar ik sta kan ik de televisie niet zien, maar ik hoor de vertrouwde stem van Erwin Kroll. Anke Neerinckx loopt naar de keuken, waar ik haar eerder haar koffie of thee vandaan heb zien halen, en keert terug met een blocnote en een pen.

'Aan die blauwe vlekken,' zegt Erwin Kroll, 'ziet u dat er nog steeds zo hier en daar een flinke bui valt, met regen en zelfs hagel. In de loop van de nacht zullen die buien nog heviger worden en ook de wind zal nog in kracht gaan toenemen.'

Op dat moment slaat de wind tegen het raam in de woonkamer, als een grote platte hand. Er klinkt een geruis dat langzaam aanzwelt tot een luid geklater en dat vervolgens vermengd raakt met een scherp tikkend geluid. Het is weer gaan hagelen. Anke Neerinckx loopt naar het raam, schuift het gordijn een stukje opzij en zucht.

'Wat een weer,' zegt ze. 'Dit is het nummer.'

Ik sta in de deuropening tussen gang en kamer. Ze overhandigt me een papiertje met het nummer dat ik al ken. 'Dank u wel,' zeg ik.

'Zeg maar je. Ik voel me altijd zo oud als mensen u tegen me zeggen.'

'Ja, dat herken ik wel. Meneer, dat is het allerergste. Als ze meneer tegen je zeggen.'

Buiten slaat opnieuw de hagel tegen het raam.

'Als je me morgen aan het eind van de ochtend belt, dan ben ik zeker thuis.'

'Jullie hebben het mooi verbouwd. Of was dat al zo toen jullie er introkken?'

Ze kijkt de kamer rond. 'Nee. Nee, dat hebben wij gedaan. Hier stond een muur. Het waren twee kamers, één voor, één achter, en de gang liep door naar de keuken. Maar dat hoef ik jou niet te vertellen natuurlijk.'

'Het moeten kleine kamers zijn geweest. Maar als kind heb ik dat nooit zo ervaren.'

'Als kind neem je de wereld nog zoals die is.'

'En als kind vind je de hele grotemensenwereld groot.'

Ik maak aanstalten om op te stappen.

'Nogmaals, sorry dat ik je gestoord heb.'

'Waar moet je eigenlijk naar toe? Woon je hier in Haarlem?'

'Nee, in Amsterdam. Ik heb hier in de stad wat gegeten met een vriend van me van vroeger. Dat heeft weer alles te maken met die brief. Maar goed. Ik moet dus naar het station.'

'Ja, het is niet dat ik vervelend wil doen, of dat ik je niet vertrouw of zo,' zegt ze, 'maar ik heb drie kleine kinderen, die boven liggen te slapen. En als ze dan ineens voetstappen horen op de zolder schrikken ze zich dood. Dan duurt het uren voor ik ze weer stil heb.'

'Drie,' zeg ik. 'Wat leuk. Hoe oud?' Ze noemt de leeftij-
den van de kinderen (anderhalf, drie en vijf), en de namen
(Pim, Sam en Bo).

'Bo!'

'Ja.'

'Dat… ja, nou, dat is ook toevallig.' Ik wil zeggen: zo heet
mijn eigen zoon ook, en ik wil nog veel meer zeggen, maar
ik zeg het niet. Bo! Jezus! Ze hebben hun oudste zoon Bo
genoemd!

'De zoon van die vriend van me,' zeg ik, omdat ik toch
iets moet zeggen, 'die vriend met wie ik vanavond uit eten
ben geweest, die heet ook Bo. En ik zei nog tegen hem dat
ik niet wist dat het ook een jongensnaam was. Ik kende alleen Bo Derek.' Ik sta er zelf verbaasd van hoe snel de leugens me over de lippen rollen vanavond. Maar het doel hei-
ligt de middelen. Dat had ik al eerder voor mezelf vastgesteld.

'Dat had ik ook, hoor,' zegt zij toegeeflijk. 'En ik vind Bo
Derek een vreselijk mens. Het was mijn mans idee. En hij
bezwoer me dat het niks met Bo Derek te maken had. Dat
het eigenlijk een jongensnaam was. En we hadden afgesproken dat hij de naam voor een jongetje mocht kiezen en
ik voor een meisje. Zodoende. Sam was mijn idee. En dat
vond hij juist weer een jongensnaam. We hebben het dus
eerlijk verdeeld.'

Ze moet aan me gezien hebben dat ik me geen houding
weet te geven, al denkt ze waarschijnlijk dat het komt doordat ik nog steeds met mijn jas aan op de drempel van haar
woonkamer sta. Voor het eerst in mijn leven ervaar ik dat
het mogelijk is om aan de grond genageld te staan.

Bo! Het was mijn mans idee!

Ze zegt: 'Als je nog even wilt wachten tot de regen wat
minder is, dan mag je er wel even bij gaan zitten, hoor. Zal
ik je jas aannemen? Wil je koffie?'

'Ja. Ja. Jajaja.'

Ik ben blij als ik zit. Ik ben blij dat ze even wegblijft.

107

'Iets erin?' roept ze vanuit de keuken.

'Nee, niets. Alleen koffie.'

Op de televisie maakt een klein jongetje in voetbaltenue vreugdedansjes op het veld. Hij heeft goed gekeken hoe zijn professionele helden zich gedragen als ze een doelpunt hebben gescoord. De reclame (voor Calvé pindakaas) is vertederend – zelfs als je geen kinderen hebt, zelfs als je zoon je zoon niet is, maar de zoon van de man bij wiens vrouw je nu in de kamer zit.

Jezus!

Ik zal moeten wachten met het opdrinken van mijn koffie tot mijn handen niet meer trillen. Ik wil weg. Ik wil het hele huis van onder tot boven onderzoeken. Ik wil de straat op rennen, de regen in, de nacht in, het donkere water van het Spaarne in. Ik wil haar kinderen wakker maken om te zien hoeveel Bo op Bo lijkt. Ik wil tegen Anke Neerinckx zeggen dat haar man een leugenaar is, een vreemdganger, de vader van een bastaard, een perverseling die zijn oudste zoon vernoemt naar het kind dat hij verwekt heeft bij de vrouw van een ander. Ik wil mijn hoofd op haar borst leggen en haar smeken me te omhelzen, me te strelen, me mee te nemen naar haar bed en met me te slapen. Ik wil haar tegen het aanrecht aansmijten waar ze koffie voor me inschenkt, en haar zwarte joggingbroek omlaag sjorren en haar verkrachten tot ze bloedt.

'Ben je niet lekker?' vraagt ze geschrokken.

'Wat?'

'Je ziet helemaal bleek.'

'Ik denk,' zeg ik mat, 'dat het de plotselinge overgang is, van de kou buiten naar de warmte binnen. Ik heb een laag bloedsuikergehalte.' Ik zeg maar wat.

'Zal ik dan niet toch wat suiker in je koffie doen?'

'Neenee.'

'Chocolaatje? Ja, pure chocola. Verricht wonderen. Weet ik sinds mijn zwangerschappen alles van.'

Ze lacht naar me. Ze heeft een mooie lach. Niko Neerinckx heeft een mooie vrouw getrouwd. Maar ik had ook
niet anders verwacht. Anke is het soort vrouw dat ik vroeger onmiddellijk als onbereikbaar zou hebben gekwalifi-
ceerd. Te mooi. Het soort van mooi waar veel mannen op
vallen, maar waar de meesten tegelijkertijd door worden
geïntimideerd. Ze moet voor Niko de ideale uitdaging zijn
geweest. Ze was vast bezet toen hij haar voor het eerst ontmoette.

Ik neem het chocolaatje van haar aan. Ze zet de tv uit en
installeert zich op de andere helft van de L-vormige bank,
op dezelfde plek waar ik haar eerder van haar koffie heb zien
drinken. Dat het zo gemakkelijk zou zijn! Dat ik zo snel al
zou weten wat ik weten wil! Het duizelt me nog, maar zij
heeft gelukkig niets in de gaten. Ze nestelt zich behaaglijk
in de zachte kussens van de bank, als een kat, haar benen
onder zich opgetrokken.

'Hoe zat dat nou, met die brief?'

Eenentwintig

Voor Rotterdam maken we een uitzondering, omdat de stad zou ophouden te bestaan. Maar voor de rest van het land zijn we onverbiddelijk: alles van na 1945 moet weg.

'Zie je dat benzinestation? Weg ermee! Die kantoorkolos? Opblazen!'

Boerenschuren, viaducten, elektriciteitshuisjes, woonerven, magazijnen, opritten, afritten, telefooncellen, doe-het-zelfmarkten, galerijflats, bushaltes, stoplichten, golfbanen, verkeerstorens, skiheuvels, billboards, doorzonwoningen, scholengemeenschappen, karttracks, vakantiechalets, varkensstallen, ministeries – afbreken, neerhalen, vernietigen!

We zitten in de trein en we ruimen Nederland op.

'Wat komt ervoor terug?' vraagt Bo.

'Voor die weg daar, grasland. Voor dat kantoor, een boerderij. Voor die woonwijk, tuinderijen.'

We graven nieuwe oude sloten. Geven rivieren de ruimte. We slopen lichtreclames en sierluifels van oude gevels. We herstellen klassieke puien met glas-in-lood in het bovenlicht en hardhouten kozijnen. Kilometers asfalt spitten we onder de Hollandse klei.

Research voor beleid. Niks daarvan. *Nokia Copiers.* Weg ermee.

'Waar gaan we naar toe?' had Bo gevraagd.

'Een tijdreis maken. Naar het Nederland waarin opa is opgegroeid.' Mijn vader was dertien in 1940, twee keer zo oud als Bo op deze stralende voorjaarsdag.

'We kunnen de sloten herbevolken,' zeg ik tegen Bo, halverwege Leiden en Den Haag. 'Nu het land niet meer wordt overbemest, is het water helder en gezond.'

'Er moeten grote vette snoeken in,' zegt Bo.

'En bittervoorns,' zeg ik.

'Staafwantsen.'

'Stekelbaarsjes.'

'Geelgerande watertorren.'

Bo heeft een voorkeur voor rovers en bandieten. De staafwants, die met zijn snorkel omhoog bewegingloos onder het wateroppervlak hangt, loerend naar andere waterinsecten, die hij met een enkele beet van zijn sterke kaken doodt. De geelgerande watertor, die niet bang is vissen te lijf te gaan die drie keer zo groot zijn als hijzelf. En zijn al even vraatzuchtige larve, die als het zo uitkomt graag een salamandertje eet. (Via zijn holle kaken spuit hij maagsap in de prooi, om hem vervolgens leeg te zuigen.)

'Elritsen,' zeg ik.

'Waterspinnen,' zegt Bo.

'Schaatsenrijders.'

'Schrijvers.' (Met de ene helft van zijn oog speurt de schrijver de hemel af, om bij naderend gevaar te kunnen onderduiken; met de andere helft tuurt hij omlaag in het water, op zoek naar eetbare passanten. Als hij onderduikt neemt hij een luchtbel mee, om verdrinking te voorkomen. Volmaakt design op de vierkante millimeter.)

'Er kunnen weer zwarte sterns nestelen.'

'En ooievaars rondlopen.'

'Er komen wel minder blauwe reigers.'

'Geeft niks.'

'Nee, geeft niks.'

In Den Haag halen we tienduizend auto's van de weg.

'Wat reden er voor auto's in de jaren dertig?'

De Peerless V16, met een 7,6 liter-motor en een motorkap waar geen eind aan leek te komen. Op het Mathenesserplein in Rotterdam kon je ze in de showroom zien staan bij Peerless Motor Import, die ze uit Cleveland, Ohio, haalde. Zo duur en exclusief was de Peerless dat er eind jaren dertig in het hele land nog maar achtendertig van rondreden. Toen de Amerikaanse president Roosevelt de drooglegging ophief, en overal in Amerika weer alcoholhoudende dranken verkocht mochten worden, stapte de fabrikant over op de productie van bier – daar viel meer geld mee te verdienen.

'En welke nog meer?'

Rapides uit België. Gebouwd in Antwerpen naar een ontwerp van de Amsterdamse constructeur Silvain de Jong. Het goedkoopste type was de 12 pk, die voor 5400 gulden van de hand ging. In 1936 ging de Rapide-fabriek failliet door de moordende Amerikaanse concurrentie van met name Ford.

'Hoeveel kostte een Ford?'

Een Ford V-8 had je al voor 1025 gulden. De open modellen waren iets duurder, vanaf 1190. Voor 135 gulden kreeg je er een ingebouwde autoradio bij. Toen de oorlog uitbrak reden er in Nederland 22 duizend 937 Fords rond. Daar konden andere fabrikanten alleen van dromen, van zulke aantallen.

'Wat zal het stil zijn geweest op straat,' zegt Bo.

'In veel dorpen,' zeg ik, 'mocht je met de auto alleen komen als de veldwachter voor je uitliep om de voetgangers te waarschuwen voor het naderend gevaar.'

'Hadden ze bij opa thuis een auto?'

'Bij opa Minderhout niet. Maar bij opa Paradies wel. En de moeder van opa Paradies had een motorfiets. Ze was de eerste vrouw in Nederland met een motor.'

'Jammer dat we die nooit meer zien, opa en oma Paradies,' zegt Bo.

'Ja,' zeg ik.

Bij Rotterdam zijn we stil. Bo weet van de oorlog en van het bombardement. Daarom doet Rotterdam niet mee – het zou ongepast zijn de stad opnieuw weg te vagen. We stoppen bij het Centraal Station. Passeren station Blaak. Dan rijden we over de oude Hef, met veel geratel. De rivier is donkergrijs en druk bevaren als altijd. De aanblik van het glinsterende water roept hevige verlangens op, naar verre kusten, vreemde steden. We houden van Rotterdam, Bo en ik. We gaan zelfs weleens naar thuiswedstrijden van Feyenoord. (Een paar jaar later wordt de spoortunnel onder de Maas in gebruik genomen. Het mooiste stuk spoorlijn van Nederland wordt een nutteloze hoop roest. Bij Feyenoord wordt een oud-Ajacied aangesteld als trainer. Nog nooit werd er in de Kuip zo beroerd gevoetbald.)

Vlak voor Dordrecht laten we een enorme scheepswerf in de Merwede zinken.

'Opgeruimd staat netjes.'

Een rechthoekig stuk grond vol rijen troosteloze takken die voor fruitbomen moeten doorgaan, spitten we zonder pardon om. We zetten er hoogstammen voor in de plaats: de Triomphe de Vienne, een pracht van een peer, die vrijwel uit Nederland is verdwenen omdat hij te snel beurs wordt en bovendien rijpt op een moment dat het perenaanbod op zijn grootst is, en dus de prijs op zijn laagst.

In de Biesbosch laten we het getij terugkeren en maakt het bos weer plaats voor rietland.

'Sneu voor de bevers.'

'Heel sneu.'

Een visser controleert zijn fuiken en plukt een zalm uit het net.

'Hoe kun je nu weten waar je naar toe wilt,' zeg ik tegen Bo, 'als we niet eens weten waar we vandaan komen?'

En Bo drukt zijn neus tegen het raam en blaast de raffinaderijen bij Moerdijk op. Een zoon van zijn vader, denk ik trots – dacht ik trots.

Tweeëntwintig

Het verhaal van de brief is een oud verhaal dat ik van Monika heb geleend. Een feitelijke gebeurtenis verwerkt tot leugenachtige fictie, zoals de Golfoorlog.

Toen ik (Monika) acht jaar oud was, heb ik een brief geschreven aan mijn moeder. Ik was vaak met mijn moeder alleen thuis, omdat mijn vader werkte in een stad ver bij ons vandaan, waardoor hij 's avonds pas laat thuiskwam. Ik heb geen broertjes of zusjes. Als ik met mijn moeder alleen thuis was, negeerde ze mij zoveel als ze maar kon. Het liefst had ze dat ik een boek las of stil in een hoek zat te spelen, zolang ik maar geen geluid maakte en haar niet lastig viel met vragen of met verhalen over wat ik had meegemaakt op school.

Nu maakte ik nooit veel mee op school en vragen stellen aan mijn moeder had ik allang afgeleerd. Ze begreep nooit wat ik bedoelde, of ze begreep niet dat ik zelf het antwoord op de vraag niet wist. In ieder geval gaf ze me nooit gewoon antwoord. Daarom bewaarde ik mijn vragen voor een vriendje op school, die ze dan aan zijn moeder stelde en die soms ook zelf het antwoord wist, wat hem met trots vervulde, en mij ook, omdat het onze vriendschap nog hechter maakte.

Omdat ik mijn moeder dus nooit wat mocht vragen besloot ik op een dag om haar een brief te schrijven. Dat was nog niet zo makkelijk, want in een brief moet je heel precies de waarheid schrijven. Als de ander je verkeerd begrijpt kunnen er vreselijke misverstanden ontstaan, zoveel begreep ik toen al wel. Ik nam dus flink de tijd voor het schrijven van die brief. Elke dag werd hij langer. Elke dag waren er meer dingen waarvan ik dacht: eigenlijk wil ik dat mijn moeder die weet, dat ze weet hoe ik daarover denk. Er kwam ook steeds meer in te staan over wat ik vond van haar en van mijn vader. Ik weet nog dat ik sommige zinnen wel tien keer overlas, om zeker te weten dat er precies stond wat ik bedoelde.

Op een dag besloot ik dat de brief af was. Ik schreef: 'Dit wilde ik zeggen.' En zette mijn naam eronder.

Toen kwam dus het moment waarop ik de brief aan mijn moeder moest geven, en dat durfde ik niet. Ik heb hem eerst een tijdje in een schoolschrift bewaard. Maar een enkele keer controleerde mijn vader of moeder onverwacht mijn huiswerk, dus daar was hij niet veilig. Toen heb ik bedacht dat ik hem het beste op zolder kon verstoppen. Ik speelde vaak op zolder, waar een kist vol oude kleren stond. Boven die kist was een plek waar twee dakbalken elkaar kruisten. Tussen die balken zat een kier. Daar heb ik de brief tussen gestopt. En zoals dat gaat wanneer je kind bent: vervolgens ben ik hem vergeten.

Dat is het verhaal van Monika dat ik nu vertel aan Anke Neerinckx, de vrouw van de vader van mijn zoon — want dat hij het is die Monika heeft bezwangerd, daaraan twijfel ik niet meer. *Bo!* hamert het in mijn hoofd. *Bo!* Wat een lef!

'Een paar weken geleden,' zeg ik tegen Anke, 'is mijn moeder overleden. En toen moest ik weer denken aan die brief. Het is opeens heel belangrijk voor me om te weten wat daarin stond. Hoe ik toen tegen haar aankeek.'

'Je komt nooit helemaal van ze af,' zegt ze, 'van je ouders.'

Het is stil in de kamer. Buiten rijdt een auto door de plassen. De banden sissen. Het lijkt niet meer zo hard te regenen.

'Neem nog een bakje koffie,' zegt Anke. 'Of wil je iets sterkers? Neem iets voor tegen de kou. Dan heb ik ook een excuus om te drinken. Ik drink nooit als ik alleen thuis ben.'

'Gebeurt dat vaak?' vraag ik en ik heb meteen spijt. 'Sorry,' zeg ik gauw. 'Maar zo bedoelde ik het niet.'

Ze lacht. 'Het gebeurt vrij vaak. Niko, mijn man, zit veel in het buitenland. Hij is cameraman en regisseur. Heeft een eigen videobedrijf. Ik heb rode wijn, witte wijn, bier, whisky, cognac, Blue Curaçao, jonge jenever en Baileys.'

'Maak je wijn open?'

'Met alle plezier. Liefst een rode.'

'Klinkt goed. Doe mij ook maar.'

Ze brengt de wijnfles mee naar de kamer. Haalt twee glazen uit een antieke kast.

'Heeft Niko meegenomen uit Sri Lanka. Stond er opeens een container vol koloniale meubels op de kade in Rotterdam.'

Ze vraagt of ik verstand heb van wijnen en laat me de fles zien. Een corbières.

'Niks bijzonders zeker?' vraagt ze.

'Nee, niets bijzonders, maar wel lekker hoor. Een licht zurige afdronk met een vleugje aarde.'

'Huuh,' gruwt ze.

'Ik zeg maar wat. Ik weet niets van wijn.' (Heel even overweeg ik nog om haar te vertellen van mijn vaders wijncollectie. Maar ik ben bang dat ik fouten ga maken, dat ik mezelf ga tegenspreken als ik te veel over mezelf vertel. Dus zeg ik niets.)

Ze maakt de fles open en schenkt twee glazen in.

'Bo, Sam en...'

'Pim,' zegt ze.

'Leuke namen.'

'Dank je. Het zijn ook leuke kinderen.'

'Bo,' zeg ik. 'Had hij een speciale reden om hem Bo te willen noemen?'

'Hij kende een jongetje dat zo heette, geloof ik. Ik weet het niet precies. Hij vond het gewoon een mooie naam, zei hij. En lekker kort. Al denken sommige mensen dat je het b-e-a-u schrijft, maar het is dus gewoon Bo: b-o.'

Monika's ouders waren zeer ontstemd geweest over onze naamkeuze. 'Bo?' zei haar moeder aan de telefoon. (Monika lag nog bij te komen in het kraambed en had mij met één blik duidelijk gemaakt dat ze haar moeder nog niet wilde spreken.) 'Hoe schrijf je dat? B-e-a-u?'
'Nee, gewoon: Bo, b-o,' zei ik.
'Bo.' Zoals ze het uitsprak klonk het als *Bôh*.
'Boe,' zei ik.
'Wat?'
'Boe! Grapje.'
'Mag ik Monika?'
'Die slaapt.'
'Je liegt en ik weet dat je liegt, maar dat is nu eenmaal je aard. Ik kan alleen maar hopen dat Bôh niet te veel naar zijn vader zal aarden.' En alsof ze toch even schrok van haar eigen onaardigheid op dit voor mij zo heuglijke moment, voegde ze eraan toe: 'Nu ja, wij zijn natuurlijk niet meer van deze tijd, zoals jullie. Jullie zullen wel weten wat het beste is, nietwaar?'
Het meest onrechtvaardige aan die hele geschiedenis met Bo en mijn onvruchtbaarheid is dat niet de ouders van Monika maar mijn vader in feite zijn enige kleinkind is kwijtgeraakt. Nog geen moment heb ik ook maar overwogen om het hem te vertellen – het zou zijn hart breken. (Sinds de dood van mijn moeder kan zijn hart niet veel meer hebben. Hij werkt nog altijd elke dag in het schuurtje achter hun huis, dat nu *zijn* huis is – wat hij verschrikkelijk vindt. Hij knapt oude meubels op die hij vervolgens weggeeft aan bejaardenhuizen of aan het Leger des Heils. Soms denk ik dat hij zo alsnog een plaatsje wil verwerven in de hemel, of in

een van die bejaardentehuizen. Maar dat zeg ik niet. 's Avonds drinkt hij een glaasje rode wijn en leest een boek of kijkt naar een voetbalwedstrijd op tv. Als ik met Ellen en Bo op visite kom leeft hij helemaal op. Daar word ik verdrietig van.)

Ik heb de afgelopen weken vaak gedacht: als het Monika's ouders waren geweest van wie de bloedbanden met Bo zo plotseling waren doorgesneden, dan had ik het ze met alle plezier van de wereld verteld. Dan was ik in de auto gesprongen, in mijn beste pak, en dan had ik bij hen aangebeld, met een grijns op mijn gezicht. En mochten ze niet opendoen, dan kalkte ik het nieuws met grote letters op de straat. 'BO IS UW KLEINKIND NIET, HAHAHA!'

Maar hoe zou Bo niet hun kleinkind kunnen zijn?

Misschien is dat wel het belangrijkste verschil tussen moederliefde en vaderliefde: een moeder weet altijd honderd procent zeker dat haar kind ook werkelijk haar kind is. En dus hoeft een moeder zichzelf niets te bewijzen.

'Waar zat die spleet precies, tussen die balken?'

Ik schrik van haar stem, alsof ze me een verhoor afneemt. Maar als ik haar aankijk heeft ze weer die vriendelijke lach om haar mond, die haar zo aantrekkelijk maakt. Ze is een *pleaser*, denk ik bij mezelf. Zoals zoveel mooie vrouwen – haar soort mooie vrouwen.

'Eerlijk gezegd weet ik dat niet meer precies,' zeg ik. 'Ik bedoel, ik kan me die spleet zo voor de geest halen, maar niet waar die zich nou precies op de zolder bevond. Waar het was ten opzichte van het trapgat, bijvoorbeeld.'

Ik heb geen idee wat voor trapgat ik me erbij moet voorstellen. Hebben ze een luik met een uitschuifladder, of is er echt een trap? Is er een zolderraam? Niet aan de straatkant in ieder geval.

'Er zit een luik, met zo'n ladder, aan de linkerkant van de

zolder. Tegen die muur, zeg maar.' Ze wijst naar een hoek in de woonkamer.

'Nou, dat is dan in ieder geval niet veranderd.'

We drinken een tijdje zwijgend van onze wijn. En juist als ik denk dat ik maar eens op moet stappen (ik kom tenslotte nog terug, en ik moet nu voorzichtig manoeuvreren, ik wil Bo zien – de andere Bo!) komt ze uit de bank overeind, en zegt: 'We hebben foto's van voor de verbouwing. Misschien herken je het dan weer.'

Ze loopt naar een tweede antieke koloniale kast en haalt er een fotoalbum uit. Ze legt het album voor me op de glazen koffietafel (het mahoniehouten onderstel is ongetwijfeld ook afkomstig uit die container op de Rotterdamse kade) en gaat er zelf op haar knieën naast zitten. Als ik me voorover buig om met haar mee te kijken, ruik ik haar parfum. Cacharel. Daar had Monika een hekel aan. 'Wee,' zei ze. Maar ik vond het lekker. En dat vind ik nog steeds.

Anke Neerinckx bladert met haar goed verzorgde handen door het fotoboek. Ik zie een man in een overall met verfspatten. Niko? Ik herken hem niet. Een kind speelt tussen een stapel planken in een modderige tuin. Bo?

'Hier,' zegt ze, en schuift het boek wat meer mijn kant op. 'Dat herken je vast. Dat kwam te voorschijn toen we het behang van de vorige bewoners eraf stoomden.' Ik zie een muur met grijs behang met groene strepen. Zoiets lelijks heb ik nog nooit gezien.

'Verdomd,' zeg ik. 'Hoe is het mogelijk.' En ik lach er schaapachtig bij. 'Mijn vader had een vreselijke smaak. M'n moeder trouwens ook. God hebbe haar ziel.'

'We hebben er veel werk aan gehad,' zegt Anke. Er is een pluk losgeschoten van haar donkere haar, dat ze met een exotische speld (Sri Lanka?) heeft opgestoken. De punten strijken langs haar wang. Ze veegt de pluk weg met haar hand, maar hij valt meteen weer terug. Het is een mooi gebaar, juist vanwege de vergeefsheid.

Ze laat me nog twee foto's zien van kamers die ik niet herken, maar ik knik bevestigend.

'Ja, zo was het. Ik was het vergeten, maar nu herken ik het meteen. Zo zag het er bij ons vroeger uit.'

En dan gebeurt het.

Ze slaat een bladzijde van het album om. Er glijdt een foto tussenuit. De foto valt op de grond, met de rug omhoog. Ze pakt de foto op. Slaat de bladzijde opnieuw om. Er is een lege, witte vlek waar de foto heeft gezeten. Ze legt de foto weer op z'n plaats, duwt de hoeken aan en slaat het boek dicht. Het duurt niet langer dan een paar seconden.

Als we gedag hebben gezegd bij de deur (ze steekt haar hand uit en ik ben zo beduusd dat ik hem bijna vergeet te drukken, 'Bel me morgen, dan spreken we wat af'), als ik de straat uit ben gelopen en de hoek ben omgeslagen, als ik zeker weet dat ik niet meer binnen gehoorsafstand ben, dan schreeuw ik het uit: 'MOOONIKAAAA!'

En dan zet ik het op een rennen. Ik ren dwars door plassen, dwars door het verkeer, dwars door een menigte die zich ophoudt voor een deur van een dancing of een moskee of een theater, ik heb geen idee, ik ren tot ik helemaal buiten adem ben, en dan ren ik nog wat meer.

Het is dus waar.

Niko Neerinckx is de vader van mijn zoon.

Waarom zou hij anders een foto van Monika bewaren in het familiealbum?

Drieëntwintig

Cijfers. Feitjes. Weetjes. Je hebt mensen die alles weten van dure automerken. In welk jaar kwam welk type op de markt? Hoeveel vermogen had de motor? Hoeveel cilinders? En wat kostte de optionele gazellelederen bekleding? Jarenlang hadden Bo en ik geen auto, er kwam pas weer een auto toen Ellen bij ons introk. In de tussenliggende tijd verzamelden we een grote hoeveelheid nutteloze kennis over oude en exclusieve auto's. Nog altijd kunnen we geen Hyundai van een Toyota onderscheiden, maar vraag Bo of mij naar de diverse typen Morris Minor die in de loop der jaren het licht hebben gezien, en je krijgt gedetailleerd antwoord. Wat je zelf niet hebt maar graag zou willen hebben, daar wil je alles van weten. Zo weet ik tegenwoordig alles over sperma. En over mannelijke (en vrouwelijke) viriliteit en vruchtbaarheid. Cijfers. Feitjes. Weetjes.

Wereldwijd is een op de tien kinderen niet verwekt door de man waarvan men aanneemt dat hij de vader is. Dat cijfer is in de westerse wereld niet anders dan elders.

Een gezonde volwassen man van rond de dertig die twee keer per week met een vaste partner naar bed gaat, produceert elke keer dat hij klaarkomt 300 miljoen zaadcellen. Maar gaat hij een keer vreemd met een vrouw van wie hij weet dat zij een vaste partner heeft, dan zal hij twee keer zoveel spermatozoïden in die vrouw achterlaten: ruim 600 miljoen.

In een zaadlozing van 600 miljoen spermatozoïden zijn er maar 1 miljoen die in staat zijn een eicel te bevruchten. De overige driftige zwemmertjes zijn killerspermatozoïden (500 miljoen) en *blockers*.

Elke zaadlozing is een oorlogsverklaring. Killer-spermatozoïden verkennen als een leger soldaten de omgeving op zoek naar vijanden. Komen zij zo'n vijand tegen (een zaadcel van een andere man, die zij herkennen aan een andere chemische structuur) dan scheiden zij een kwalijk zuur af dat de celwand van de vijandelijke zaadcel aantast, waardoor deze openbarst en de cel sterft. Ondertussen verschansen de blocker-spermatozoïden zich in de nauwe doorgangen van het baarmoederslijm om zo de opmars van eventuele vijanden in de richting van het felbegeerde doel (de eicel) te verhinderen. Oorlogvoeren zit de mens dus wel degelijk in de genen.

Hoe langer een man geen geslachtsgemeenschap met zijn vaste partner heeft gehad, hoe groter het aantal spermacellen dat hij zal afvuren wanneer het er weer eens van komt. Reden: hoe langer hij zijn vrouw niet seksueel heeft bevredigd, hoe groter de kans dat zij hem ontrouw is geweest en hoe groter dus het leger dat hij nodig zal hebben om de eventuele vijand te verslaan. Dat geldt overigens niet als hij haar ondertussen geen moment uit het oog heeft verloren. Dan is de kans dat zij is vreemdgegaan praktisch nihil en volstaat een onderhoudsdosis van 100 tot 300 miljoen spermatozoïden.

Volgens een recente Engelse studie is 4 procent van de bevolking het product van een actieve, *full blown* spermaoorlog. Dat wil dus zeggen dat een op de vijfen-

twintig concepties plaatsvindt terwijl zich in de baar-
moeder van de betrokken vrouw minstens twee ver-
schillende spermalegers bevinden. De liefde is met recht
een slagveld.

Als Monika zich heeft gehouden aan wat de statistici van het
moderne seksuologisch onderzoek voorschrijven, dan heeft
het spermaleger van Bo's natuurlijke vader (het spermaleger
van Niko Neerinckx!) de simpelste overwinning behaald uit
de geschiedenis van de krijgskunst. Zelfs de Golfoorlog,
waarvan het grondoffensief in zesendertig uur tijd was be-
slecht, was vergeleken met de walk-over van de troepen van
Neerinckx een zwaarbevochten overwinning. Het róók op
Monika's slagveld wel naar een vijandig leger, en er waren
ook wel trucks die de troepen hadden moeten aanvoeren,
maar er waren geen soldaten. Niet één.

Vierentwintig

Dees is er stil van.

'En nu?'

'Ja, dat vraag ik me ook de hele tijd af. En nu?'

'Wanneer komt 'ie terug?'

'Over anderhalve week.'

'Wie had dat gedacht, een beetje speurwerk, en hup daar is de dader boven water. Niko... hoe heette die ook weer?'

'Neerinckx. Met c-k-x.'

'Wat een duurdoenerij. Niko Neerinckx. *Bo* Neerinckx. Mijn God, wat een toestand. Whisky?'

De volgende dag had ik haar gebeld, zoals we hadden afgesproken – de vrouw met het opgestoken haar en de joggingbroek, de vrouw die gezelschap nodig had om van zichzelf te mogen drinken, de vrouw van de man die de vader was van Bo, van twee Bo's zelfs. Anke Neerinckx.

'Kun je vanmiddag?' vroeg ze.

Ik kon.

Ze droeg deze keer een zwarte spijkerbroek en een wit herenoverhemd dat haar goed stond, zoals bijna alles haar wel goed zou staan. Ze ging me voor naar de zolder. Op de trap keek ik naar haar billen (ze dansten vlak voor mijn gezicht naar boven – mooie, strakke billen). Ze trok het luik omlaag, de ladder kwam naar beneden met kleine droge tikjes.

'Ga je gang,' zei ze.

De zolder stond vol met het soort spullen waarmee zolders vol horen te staan. Koffers en dozen en ski's en een oude geoorde fauteuil. Ik keek naar de balken die het dak ondersteunden. Er waren weinig kieren. Ze kwam achter me aan naar boven.

'Herken je het?'

'Nee,' zei ik, naar waarheid. 'Er stonden veel meer spullen in toen wij hier woonden. Het was een soort doolhof. Daarom kwam ik er ook zo graag. Ik kon me er in een andere wereld wanen.' Mijn vermogen om haar met leugens te overspoelen was nog niet minder geworden. Ik inspecteerde de dakconstructie en vond ten slotte een kier op een plek waar twee balken elkaar kruisten, precies zoals ik het me had voorgesteld.

'Verdomd,' zei ik. 'Hier is het.'

Ze kwam vlak bij me staan. Weer rook ik haar parfum. Ik bracht mijn ogen vlak bij de spleet.

'Ik zie niks.'

Ik deed een stap terug, zodat ze ook kon kijken. Haar arm raakte mijn arm.

'Nee,' zei ze. 'Maar wacht even.'

Ze liep naar een grote hutkoffer, die vlak naast het trapgat stond, maakte hem open en pakte er een zaklamp uit. 'Hier, neem deze.'

Ik pakte de lantaarn van haar aan en knipte hem aan. Hij deed het niet.

'O ja, vergeten,' zei ze en ze lachte naar me. Ik gaf haar de lamp terug en ze schroefde hem open, haalde de bovenste batterij eruit en stopte hem omgekeerd terug. 'Zekerheidje van Niko,' zei ze. 'Die draait altijd de batterij om, zodat het ding niet per ongeluk aan kan blijven staan.'

'Handig,' zei ik.

'Helemaal niet.' Ze lachte erbij alsof ze iets heel stouts had gezegd. Ze flirt, dacht ik. Zo'n vrouw is het ook, een teaser en een flirt. Maar wee de man die daaruit de verkeerde conclusies trekt. Ze gaf me de lamp weer en ik scheen ermee in de spleet. Er was niets te zien. En weer kwam ze naast me staan om ook te kunnen kijken. Ze bracht haar gezicht vlak bij het mijne. Ik voelde de lok, die vandaag, net als gisteren, weer was losgeschoten, langs mijn wang strijken. Er trok een rilling over mijn rug.

'Wat jammer!' zei ze en ze keek me aan met een blik waaruit oprechte teleurstelling leek te spreken. 'Hè, wat jammer!' zei ze nogmaals. Ik schaamde me dat zij nu teleurgesteld was, terwijl ik zelf natuurlijk niets voelde – behalve de verwarrende opwinding die haar nabijheid bij me opriep. Ik liep nog even rond door de zolder, alsof ik nog twijfelde aan de plek. Misschien was het een andere spleet geweest? Maar die was er niet.

'Ik was vroeger altijd bang voor zolders,' zei ze opeens.

'Waarom?'

'Ik was bang dat er vreemde mannen verstopt zaten. En kijk me nu eens staan... Neem ik zo maar een vreemde man mee naar de zolder.'

'Ik ben ongevaarlijk.'

'Dat weet je maar nooit.'

We gingen de ladder weer af, eerst ik, toen zij, zodat ik weer naar haar billen keek, dit keer dansend naar omlaag.

'Wil je de kinderkamers zien?' vroeg ze, toen ik de ladder voor haar omhoog had geschoven en het luik had gesloten. 'Waar sliep je zelf vroeger?'

'Aan de achterkant.'

'Dat is Bo z'n kamer.'

Als ik het niet dacht. Ze ging me voor de kamer in. Die leek in niets op de kamer van mijn eigen Bo (mijn *eigen* Bo?!). Bo kreeg pas een eigen kamer toen hij vier was. Niet lang na Monika's dood kon ik een ander huis krijgen, via een zakenrelatie van mijn vader. 'Het is niet goed als je hier blijft wonen,' had mijn vader gezegd. Ik geloof dat mijn ouders wel wisten dat ik mijn verdriet verdronk in de kroeg. Maar ze zeiden er nooit rechtstreeks iets van. Wel vroegen ze geregeld hoe het met me ging, en nodigden ze me uit voor het eten, of voor een fatsoenlijk glas wijn, zoals mijn vader zei. Ik ging niet vaak op hun uitnodigingen in. Het valt me ook nu nog moeilijk om uit te leggen waarom niet, maar het had te maken met schaamte. Ik had het gevoel dat ik had gefaald. Mijn vader en moeder waren al zo lang bij elkaar, en al maakten zij elkaar misschien niet meer echt gelukkig, *ongelukkig* maakten zij elkaar toch ook niet. En ik? Wat kon ik daar tegenover stellen? Krap vijf jaar waren Monika en ik samen geweest. En natuurlijk was het mijn schuld niet dat ze stierf, zoals haar ouders mij wilden doen geloven, maar toch… Als ik de dokter eerder had gewaarschuwd, zou ze dan nog geleefd hebben? Ik heb die gedachte heel ver weggestopt, maar helemaal uitbannen kan ik hem niet. Het gevoel gelijkwaardig te zijn aan mijn vader, dat ik had gekregen toen Monika zwanger werd, dat gevoel was met haar begraven. Ik was teruggevallen. Ik was weer zoon geworden. Het deed me pijn om mijn moeder teleur te stellen, maar ik kon de woorden niet vinden om haar uit te leggen wat er in me omging.

Bo's kamer in ons nieuwe huis was niet erg groot geweest, niet veel groter dan de kamer van die andere Bo, waarin ik nu stond. Maar de twee kamers konden nauwelijks méér verschillend zijn. Hier lag brandweerrood linoleum op de vloer, bij mijn Bo (*mijn* Bo?) ruwe sisal. Hier stond een bed met een Ajax-dekbedovertrek, en hing aan de knalgele muur tegenover het raam een grote poster van Bert en Ernie. Bo had een matras op de grond, op zijn uitdrukkelijk verzoek. ('De wereld is het mooist dicht bij de grond,' zei hij.) De sprei was een lappendeken die mijn moeder voor hem maakte. Aan de muren van Bo's kamer hingen tientallen foto's van vreemde dieren uit de *National Geographic*. Vervaarlijke spinnen met harige poten, een zeekoe met haar jong, een buidelrat, een vliegende hond, veel hagedissen. In al die jaren is er in zijn kamer niet veel veranderd. De lappendeken is vervangen door een Zuid-Amerikaanse doek, die Ellen ooit meebracht van een van haar reizen. (Bo's muizen hadden op de deken gepiest en een cavia had er gaten in geknaagd.) De hagedissen aan de muur kregen op den duur gezelschap van hagedissen in een heus terrarium, toen Bo de muizen-en-caviafase was ontgroeid. Toen hij tien was verving hij de platen aan de muur door een serie posters van dinosaurussen. Die posters hangen er nog steeds. En naast het terrarium staat inmiddels een groot aantal glazen potten en plastic bakken, waarin hij insecten kweekt als voer voor de hagedissen en als studieobject. Van al het speelgoed dat ik zag in de kamer van *deze* Bo, de Bo van Niko en Anke Neerinckx, was er niets waar mijn Bo ooit mee speelde.

'Het is vast een vrolijk joch,' zei ik, om toch iets te zeggen.

'Dat heeft 'ie van mij,' zei ze, 'en niet van zijn vader.'

De andere kinderkamer was een kopie van die van Bo, behalve dat het brandweerrood en kanariegeel hier waren vervangen door kobaltblauw en appelgroen. En in plaats van één bed stonden er twee. Beide met een Ajax-dekbed.

'Ik wilde geen meisjeskamer voor Sam,' zei ze. 'En Pim vindt het leuk om met zijn zusje op een kamer te slapen. Leuker dan met Bo, want dan is hij steeds de kleinste. Nu kan 'ie toch de grote broer uithangen.' Haar gebabbel over de kinderen maakte ons samenzijn haast ongepast intiem. Maar de slaapkamer van haar en Niko bleef voor mij gesloten. En ik kon zogauw geen smoes verzinnen waarom ik ook die had willen zien.

'Heb jij eigenlijk kinderen?' vroeg ze toen we weer beneden waren.

'Nee,' zei ik. En ik dacht: Je liegt de waarheid.

'Ik wil je iets zeggen waar je misschien niet blij mee zult zijn.'

Dees heeft een hele tijd gezwegen en twee glazen whisky gedronken. Onderwijl dacht ik aan Anke Neerinckx en aan de foto's die ze me liet zien (weer had ze zichzelf een excuus verschaft om een glas wijn te drinken – om twee uur 's middags nog wel).

'Ik denk dat je er beter aan doet,' zegt Dees, 'om hem niet te confronteren. Wacht, wacht, wacht nou even! Ik zei toch dat je niet blij zou zijn met wat ik je wilde zeggen, maar ik ben je beste vriend. Geef me op z'n minst de kans om uit te spreken.'

Ik ga achteruit zitten in mijn stoel en vouw mijn armen over elkaar.

'Het onwillig oor,' zegt Dees, 'zo zouden ze die houding moeten noemen. Maar probeer je eens voor te stellen, Armin, wat er gaat gebeuren als jij hem vertelt wat je hebt ontdekt.' (Als Dees me Armin gaat noemen is het menens.)

'Om te beginnen kan hij vaderschapsrechten gaan claimen.'

'Waarom zou hij dat doen na al die jaren?'

'Omdat zijn eigen huwelijk naar de knoppen gaat, bijvoorbeeld. Hoe denk je dat die Anke zal reageren als ze erachter komt dat hij hun oudste zoon heeft vernoemd naar een kind dat hij verwekte bij een andere vrouw! Ik denk niet dat ze dat lichtvaardig zal opnemen. Dus hij zal vinden dat je zijn huwelijk hebt verpest. En de enige manier om er dan toch nog iets aan te hebben dat hij dat kind nu eenmaal heeft verwekt, is door vaderschapsrechten te gaan claimen.'

'Hij zou voor de rechter geen schijn van kans maken.'

'Ten eerste weet ik dat zo net nog niet, maar wat me belangrijker lijkt: wil jij dat het tot een rechtszaak komt? Wil je dat jezelf aandoen? En Bo? En Ellen?'

Ik neem een slok van mijn whisky. Er zit veel waars in wat hij zegt. Het ís ook veel verstandiger om de zaak verder te laten rusten.

'Maar ik wil antwoorden, Dees,' zeg ik. 'Ik wil weten hoe en waarom en wanneer en waar en nog veel meer.'

'Wil je dat echt? Zal het je helpen als je weet hoe Monika zich voor hem uitkleedde? Wil je werkelijk weten of ze klaarkwam? Of het bij jullie thuis gebeurde of bij hem, of op een tafel vol kleurige vakantiefolders bij dat treurige reisbureau? Schiet je er iets mee op om te weten of hij opgewonden werd van dat litteken op haar buik? Ik bedoel maar, Armin, als je eenmaal met hem gaat praten, als je hem gaat uithoren, dan heb je niet meer in de hand wat je wel en wat je niet te horen krijgt. Denk aan de praatjes die die Robbert je op de mouw probeerde te spelden. Het kan heel goed zijn dat met de antwoorden nog moeilijker te leven valt dan met de vragen. Dat wilde ik maar gezegd hebben. Mogen wij nog twee keer hetzelfde?'

Eerlijkheid is de basis van alle vriendschap, maar zij kan een vriendschap evengoed vernietigen. Net als de liefde.

Anke Neerinckx heeft mij een foto laten zien van haar oudste zoon.
    'Hoe oud is hij hier?'
    'Vijf.'
    De vijf jaar oude Bo zit op een plastic tractor. De tractor staat voor een tuinhek. De jongen tuurt over het hek de wijde wereld in. Er ligt een groot verlangen in zijn blik.
    'Zo klein als hij is,' zegt de trotse moeder, 'is hij toch al echt een man. Dromend van grote avonturen.'
    'Dromen vrouwen dan niet van avonturen?'
    'Jawel. Maar anders dan mannen zoeken ze die avonturen dicht bij huis.'
    '*Living on the edge at home.*'
    'Precies.'
    En haar blik vangt de mijne. En onze lichamen raken elkaar, heel licht. Op de bank, met het fotoalbum tussen ons in, dat op haar schoot ligt en ook een beetje op de mijne.

Ellen heeft mij ooit een *non-threatening male* genoemd. 'Daarom win jij zo gemakkelijk het vertrouwen van vrouwen,' zei ze. Ik heb nooit kunnen besluiten of ik daar nu blij mee moest zijn of juist niet, maar nu bekruipt me voor het eerst in jaren de lust om dat vertrouwen op een verschrikkelijke wijze te beschamen. Maar ik doe niets. Ik verroer me niet. Ik kijk naar de foto van het jongetje op zijn tractor. En het moment gaat voorbij en zij slaat de bladzijde om en samen kijken we naar een foto van haar en Niko, lachend in de weer met verfkwasten.

Het leven is een eindeloze aaneenschakeling van verbouwingen.

Vijfentwintig

Op de ochtend van Bo's achtste verjaardag stond ik om vijf uur op. Ik maakte licht in de keuken, zette water op, nam een douche. Met natte haren bakte ik eieren met spek, vulde een grote thermos met koffie en een kleinere met thee. Ik staarde naar mijn spiegelbeeld in het raam terwijl de boter spatte in de pan. 'Je krijgt een ouwe rotkop,' zei ik tegen mezelf. Toen ging ik Bo wekken.

'Bo! Bo! Gefeliciteerd!'

We zaten zwijgend aan een ontbijt van müsli en fruit, en terwijl Bo zich aankleedde maakte ik hartige sandwiches met eieren en spek, en mayonaise in plaats van boter, en veel zout, precies zoals Bo ze het lekkerst vond.

Pas in de auto werd Bo wakker.

'Waar is mijn cadeau? Krijg ik geen cadeau?'

'We gaan uit vissen, is dat geen cadeau?'

In de vijf jaar dat ik met Monika was, heb ik geen enkele keer gevist. Het was de enige werkelijke opoffering die ik mezelf voor haar moest getroosten. Ze zou het me nooit hebben vergeven. 'Voor je lol een levend dier een haak door zijn bek slaan,' zei Monika toen ze in een hoek van mijn kamer mijn hengels ontdekte. 'Dat is wel zo'n beetje het laagste waartoe ik een mens in staat acht.'

'Is het reden om je te bedenken?' vroeg ik. Ze had juist aan haar vriendje Robbert opgebiecht dat er een andere man in haar leven was gekomen. (Haar woorden, niet de mijne – als het om de liefde ging was Monika gek op hoogdravende teksten. Monika zei ook nooit 'neuken', maar 'de liefde bedrijven' of 'met iemand slapen'. Terwijl wat zij deed, wat *wij* deden, in mijn ogen nou juist echt neuken was.)

'Het zou reden moeten zijn om me te bedenken,' zei ze. 'Maar ik vrees dat het vlees ook dit keer weer sterker is dan de geest.'

'Zou het helpen als ik beloof dat ik niet meer vis zolang jij in mijn leven bent?'

'Dat zou zeker helpen,' zei Monika. En aldus geschiedde. Ik ging pas weer vissen toen Bo vijf jaar oud was en alleen omdat hij het zo graag wilde. Zelf vond ik dat ik het tegenover Monika niet kon maken om weer onschuldige vissen te gaan martelen alleen maar omdat zij het ongeluk had gehad vroegtijdig dood te gaan. Die dood had al voor genoeg leed in de wereld gezorgd, daar hoefde het leed van die vissen niet ook nog eens bij. (Want natuurlijk is vissen een vorm van dierenbeulerij – alleen: het is zo'n *mooie* vorm, bijna net zo mooi als stierenvechten, waar ik heimelijk ook warme gevoelens voor koester.)

Bo keek me onderzoekend aan toen ik hem vertelde dat het vissen toch ook een cadeau was. Maar ik hield mijn blik op de weg, die nevelig was en nog grotendeels in duisternis gehuld, en zweeg. De oostelijke hemel was diepviolet toen we bij de bootverhuur arriveerden. Aarzelend kreeg het land zijn eerste kleuren.

'Je hengel!' riep ik uit toen ik de achterklep had geopend. 'We zijn je hengel vergeten!'

Bo zweeg.

'Dan moet je maar af en toe met de mijne vissen.'

Bo staarde naar de grond.

'Kom.'

Hij aarzelde, maar niet te lang.

'Hé,' zei ik, toen de man van de bootverhuur ons de boot had gewezen. 'Wat is dat nou?' Er lag een donkergroen, langwerpig voorwerp op de bodem van de boot, met een gele strik eromheen.

'Mijn cadeau!' riep Bo verbaasd.

En zo roeiden we de plas op. De oevers waren leeg en we visten in stilte, en alleen een waterhoen zag ons en schrok en trok zich weer terug in het riet. Bo's jongenshand omklemde zijn nieuwe hengel. Zijn knokkels waren wit. Af en toe schoten onze dobbers onder. Af en toe borrelde het en spetterde het.

Om negen uur roeide ik de boot naar de oever, waar een koffiehuis zojuist zijn deuren had geopend. Daar belde ik naar Bo's school.

'Mijn zoon is ziek.'

'Niks ernstigs, hoop ik?'

'Nee, niks ernstigs.'

'Wilt u hem dan een prettige verjaardag wensen?'

Aan het eind van de dag hadden we samen elf blankvoorns, vier bleien, zes brasems en een spiegelkarper gevangen. De spiegelkarper ving Bo. Het was de eerste karper uit zijn leven en het was een wonder dat zijn lijn het hield. Toen de vis op de bodem van de boot lag en met zijn grote, rubberen mond naar lucht hapte, boog ik me voorover en snoof de lucht op.

'Wat ruik je?' vroeg Bo.

'Ruik zelf maar.'

Hij boog zich over de vis en snoof.

'Ik ruik vis.'

'En de wonderlijke geur van het waterrijk,' zei ik.

Hij snoof nog eens en knikte toen. 'Ja,' zei hij, 'de wonderlijke geur van het waterrijk.'

Volgende week wordt Bo veertien. Voor het eerst heb ik geen idee wat ik hem zal geven.

Zesentwintig

'Licht en duisternis, leven en dood, rechts en links zijn broers van elkaar,' schrijft de evangelist Philippus. 'Zij kunnen niet van elkaar worden losgemaakt. Om die reden zijn noch de goeden goed, noch de slechten slecht, noch is leven alleen maar leven, noch is dood alleen maar dood.'

Monika bedroog Robbert P.F. Hubeek met mij. Monika bedroog mij met Niko Neerinckx. Ik bedroog Monika met Ellen. Ellen bedroog Monika met mij.

Eén keer.

Het gebeurde een halfjaar na de nacht waarin Monika ons vertelde dat zij zwanger was. Op een koude zaterdagavond in januari ging ik alleen de stad in. Door de zwangerschap was Monika de laatste dagen moe en prikkelbaar. Ze lag op de bank met een deken over zich heen naar de televisie te kijken, haar buik bolde op onder de Schotse ruit.

'Dag,' zei ik en kuste haar voorhoofd.

'Veel plezier.'

De lucht was helder en de bomen van het park stonden bewegingloos in de stille winteravond. Langs de randen van de vijver vormde zich het eerste ijs. Een eend kwaakte. Ik besloot om mijn fiets te laten staan en naar de binnenstad te lopen. De stad kan mijn grootste vijand zijn (als de straten dichtslibben met auto's en brommerkoeriers en ongeduldige, chagrijnige voetgangers, en fietsers die alleen nog oog hebben voor hun eigen overleving), maar ook mijn beste vriend. Die avond hielp de stad mij om het onbehagen te verdrijven waarmee ik al enkele dagen rondliep en dat in het huis aan de Ceintuurbaan hing als oude sigarettenrook.

In café De Kerk dronk ik twee glazen bier en luisterde naar een warrig gesprek tussen Ramses Shaffy en een verlopen vrouw met een piepkleine Yorkshire-terriër, die in haar handtas zat, en die zenuwachtig begon te piepen elke keer als de beroemde zanger en acteur zijn stem verhief.

'We spinnen zelf de draden van ons leven, maar God weeft het tapijt!'

De Kerk was de ideale plek om een avond van vrolijk drinken te beginnen. Of te beëindigen.

Op het Muntplein gooide een jongen een milkshakebeker naar een passerende tram. De roze shake spatte alle kanten op en liet een grillige vlek achter op het raam van de tram. Een passagier stak zijn middelvinger op.

Ik liep over het smalle stoepje dat het water van het Rokin scheidt van de rijweg. Weer kwaakte er een eend. Zonder vogels zou de stad beslist onleefbaar zijn. Koningin Wilhelmina zat als altijd versteend op haar paard. Ze zag eruit alsof ze de dikke winterjas wel kon gebruiken die ze droeg voor een ander standbeeld, aan de andere kant van de stad, op een plein dat haar naam droeg.

In Zeppos, in dat nauwe steegje met de prachtige naam Gebed Zonder End, dronk ik nog twee glazen bier en keek naar de studentenmeisjes en de studentenjongens en stelde voor de zoveelste keer tevreden vast dat ik blij was dat Monika en ik de universiteit voorgoed de rug hadden toegekeerd. De burgertruttigheid deed pijn aan je ogen. Ik kreeg zin om een stel van die goudgebrilde, gestreepjesoverhemde jongens eens flink te provoceren. (Tegen Monika's vader had ik kort tevoren beweerd dat weinig dingen in mijn ogen onvergeeflijk waren, maar intelligent zijn en toch rechts was er beslist één van. Wat volgens haar vader bewees hoe stuitend mijn gebrek aan intelligentie was en hoe verkeerd de keuze van zijn dochter.) Maar ik hield me in, dit keer, en betaalde mijn drankjes en vervolgde mijn tocht. De nacht was nog

jong. Wat zou ik mijn tijd verdoen aan jongens die opgewonden raakten van beursberichten en aan meisjes die dachten dat je een sweater om je nek moest binden in plaats van
hem aan te trekken (of uit).

Ik besloot naar De String te gaan, op het Nes, om naar
wat livemuziek te luisteren tot het laat genoeg was om een
discotheek op te zoeken. Monika en ik mochten dan wel
spoedig ouders worden, maar we hadden elkaar bezworen
dat we niet in brave huismussen zouden veranderen. En vanavond wilde ik die belofte gestand doen. Een beetje drinken, een beetje dansen, een beetje naar mooie meiden kijken, een beetje flirten en ten slotte moe en dronken maar
voldaan naar huis terug wankelen en naast dat warme zwangere lichaam kruipen. Dat zou ik doen – en dat zou ik ook
hebben gedaan, als ik in De String niet Ellen tegen het lijf
was gelopen.

Ze bloosde toen ze me zag. ('Je bloosde toen je me zag,' zou
Ellen later zeggen.) We hadden elkaar sinds die wonderbaarlijke nacht nog maar één keer gezien en dat was in het
gezelschap van Monika geweest, waarin wij beiden op ons
gemak waren en waarin wat wij voor elkaar voelden (wat dat
ook mocht zijn) even vanzelfsprekend was als wat wij voelden voor haar. Net als toen zag Ellen er ook nu gebruind uit,
een baken van gezondheid in een zee van Hollands grauw.

Een kwartet muzikanten speelde Ierse dronkenmansli-
deren en ballades vol zeemansromantiek en emigrantenleed.
Ik bestelde een Jameson met één klontje ijs. Ellen dronk rode wijn.

'Hoe is het met je?'

'Goed.'

'Ben je hier alleen?'

'Ja. Jij ook zo te zien.'

'Monika is te zwanger voor zaterdagavondgezwalk. Waar
ben je het laatst naar toe geweest?'

'Naar Ecuador.'

'Toch niet weer met… hoe heette die jongen ook alweer?'

'Niko. Nee, met een groep. Vermoeiend. Maar leuk. En minder frustrerend dan met iemand die je liefde niet beantwoordt.'

Een stel aan een tafeltje in een hoek van het kleine zaaltje stond op om naar huis te gaan, en Ellen en ik schoven snel tussen de menigte door om de vrijgekomen stoelen in bezit te nemen. We luisterden enige tijd zwijgend naar de muziek. Toen trok Ellen me aan mijn mouw en ik boog me naar haar toe, zodat ze niet over de muziek heen hoefde te schreeuwen. Met haar mond vlak bij mijn oor, zei ze: 'Had je ooit eerder met twee vrouwen tegelijk in bed gelegen?'

Ik lachte en schudde van nee. 'En jij… ik bedoel?'

'Nee.'

Weer zwegen we en toen ik even van opzij naar haar keek, zag ik dat er een glimlach om haar mond lag. Ze draaide haar hoofd naar me toe en keek me recht in mijn ogen en de glimlach werd breder.

'Zoiets kan alleen met Monika,' zei ze.

En ik knikte en dacht: Het is nog niet af.

(Voor overspel is altijd een excuus voorhanden. Volgens de modernste sociobiologische inzichten is de drang tot overspel zowel bij vrouwen als bij mannen genetisch verankerd: overspel, mits onontdekt, vergroot het voortplantingssucces.)

We bleven tot het einde van de set. Toen stelde ik voor ergens anders heen te gaan. Buiten nam Ellen me bij de arm en leidde me naar een mij onbekend café in een mij al even onbekende steeg. Het was er niet te druk en niet te rustig. Op het moment dat wij er binnenstapten klonk er een nummer van The Velvet Underground en de hele nacht zouden er oude hits voorbij blijven komen, van Dr. Hook and the

Medicine Show en Creedence Clearwater Revival en de Rolling Stones. Het publiek leek een zorgvuldig geselecteerde dwarsdoorsnede van wat je in het Amsterdamse nachtleven zoal kon tegenkomen, wat een zeer on-Amsterdamse gemoedelijkheid met zich meebracht (geen enkele subcultuur was dominant genoeg aanwezig om zijn eigen onverdraagzame gedragscode aan anderen te kunnen opleggen). We installeerden ons aan een tafeltje op een verhoging achter in het café en Ellen bestelde een fles rode wijn en twee glazen – ook daarin onderscheidde het café zich: dat je de wijn er per fles kon bestellen, en dat je dan voor twee tientjes een meer dan redelijke rioja kreeg in plaats van een zurige corbières of een côtes-du-rhône die in de supermarkt vier gulden vijfenzeventig de liter deed.

'Op het nieuwe leven,' zei Ellen.

'Op het nieuwe leven.'

'Wat zijn de belangrijkste twee dingen die jij je kind wilt meegeven?' vroeg ze.

Daar moest ik even over nadenken. Ik dacht zelden op zo'n concrete manier over het vaderschap na.

'Liefde en een diep wantrouwen tegenover gevestigde opinies,' zei ik toen.

'Welke plek in Nederland zou je hem of haar het liefst laten zien?'

'De Waddenzee bij laag water in de herfst, als er een slechtvalk jaagt en de zon letterlijk wordt verduisterd door wolken steltlopers.'

'Welke muziek wil je hem laten horen?'

'Bachs *Matthäus Passion*.'

'Wat droevig!'

'Maar ook troostrijk. En alles van Dolly Parton natuurlijk.'

'Wat is jouw vroegste herinnering?'

'Is dit een verhoor?'

'Ja.'

'Dat ik me verkleedde als prinsesje. We hadden thuis een grote rieten mand met oude kleren. Daar zat ook de sluier in die mijn moeder bij haar huwelijk droeg. Die had ik opgezet. Wat ik verder aan had weet ik niet meer. Maar ik herinner me dat ik voor de spiegel stond en dat ik mezelf heel mooi en heel bevallig vond. Volgens mijn moeder was ik toen drie.'

'Wie was je eerste grote liefde?'

'Jacqueline van Essen. In de derde klas van de lagere school. Een meisje met een bril en een rond gezicht met bolle wangen, zoals Beatrix die heeft op jeugdfoto's. Ze noemde mij haar oogappel. Daar heb ik veel over nagedacht over dat woord: oogappel, oog-appel. Mooi woord. Mysterieus ook. Waarom zou je iemand je oogappel noemen? Maar ik was zeer gevleid. En op slag verliefd. Heeft zeker een half-jaar geduurd, wat op die leeftijd een eeuwigheid is natuurlijk.'

Zo zaten we en praatten we tot de wijn op was. Waarna ik nog een biertje dronk en Ellen een Spa-rood.

Toen we weer buiten stonden zei ik: 'Ik breng je naar huis.' ('*She lives on Love Street, lingers long on Love Street,*' zong binnen Jim Morrison.)

'Dat is toch de verkeerde kant op voor jou?'

'Monika zou het me niet vergeven als ik haar beste vriendin midden in de nacht alleen naar huis liet gaan.'

Het was niet ver lopen naar Ellens huis. Ze woonde aan de rand van de Jordaan. En natuurlijk vroeg ze of ik nog even mee naar boven kwam om op te warmen (het vroor inmiddels flink en er was een oostenwind opgestoken die dwars door mijn jas blies, en bovendien: het was er gewoon de avond niet naar geweest om elkaar gedag te zeggen op een winderige stoep). Haar huis was klein en sober. Plankenvloeren met hier en daar een kleed of kleedje uit Azië en Latijns-Amerika. Eén enkele boekenkast vol reisboeken. Een houten boeddhabeeld op de schoorsteenmantel. Een poster met Guatemalteekse indianen aan de wand. Ze zette water op in het piepkleine keukentje en kwam toen naast me zitten op de bank. En nog voor het water kookte, kusten we elkaar. En nog voor de thee was getrokken, lagen we op de grond en gleden mijn handen over haar borsten en blies zij zachtjes in mijn oor.

Alles was vertrouwd en alles was nieuw.

We gingen naar haar slaapkamer. Ze nam de theepot en twee kopjes mee. Ze stak twee kaarsen aan. We kleedden ons uit en kropen in haar bed, dat koud was, maar snel opwarmde. We kusten en streelden en ze zei: 'Eén keer. Niet vaker.'

En ik zei: 'Ja, één keer.' En we keken naar elkaar toen ik bij haar naar binnen ging en we zeiden nogmaals: 'Eén keer.'

Daarna dronken we onze thee, dicht tegen elkaar aan, met het dekbed zo hoog mogelijk opgetrokken. En ik zei: 'Het was nog niet af.'

En zij zei: 'Nee.'

Maar opeens klonken onze stemmen anders. Opeens waren we niet meer zo zeker van onszelf. En toen ik mijn thee op had, trok ik snel mijn kleren aan en kuste haar gedag.

'Doe voorzichtig,' zei ze nog.

(Ook het geheim willen houden van overspel is genetisch bepaald, zeggen de sociobiologen. Ontdekking vergroot de kans op geweld en verlating en verkleint zo de overlevingskansen van het nageslacht. Maar volgens Dees lijden sociobiologen aan een chronisch gebrek aan kennis van de moleculaire biologie en zijn hun theorieën op drijfzand gebouwd.)

Zevenentwintig

'Boekhouders zijn het,' zegt Dees. 'En nog niet eens creatieve boekhouders.'

We zitten aan ons derde glas cognac. Het onderwerp 'de biologische vader van Bo' (inmiddels toegespitst tot 'Niko Neerinckx') hebben we na Dees' wijze woorden over leven met vragen en leven met antwoorden niet meer aangeroerd. Van het smelten van het poolijs en het aankoopbeleid van Feyenoord zijn we als vanzelf bij een van Dees' stokpaardjes aangeland. Hij zegt: 'Ze houden de administratie bij van een failliet wereldbeeld, zoals de rekenmeesters van het Derde Rijk keurig bleven bijhouden hoeveel zyklon-B ze gebruikten, terwijl de geallieerde bommenwerpers het halve land in puin gooiden en de Russen Berlijn binnenmarcheerden.'

Als Dees zich opwindt, begint hij altijd over de oorlog. Dat heeft hij van zijn vader. 'Dat zit in mijn genen,' zegt hij zelf, al weet hij als geen ander dat dat onzin is. Dat alles in onze genen zit, is de grootste populaire leugen van deze tijd – zegt Dees.

'Die zogenaamd moderne biologen hebben een aantal aannames over hoe de wereld in elkaar steekt, en alles wat die aannames ondersteunt wordt uitentreuren onderzocht en uitgeplozen. Ze doen niet anders dan nauwgezet en wanhopig bewijzen dat hun reductionistisch-mechanistisch wereldbeeld klopt. Natuurlijk is er zo heel af en toe nog wel een of andere eigenwijs die voorstellen doet om zaken te onderzoeken die dat wereldbeeld ondergraven. Wat zeg ik: Zo nu en dan is er zelfs een gek die aan zulk onderzoek begint en er een artikel over schrijft!'

Hij neemt nog een slok van zijn cognac.

'Dat soort artikelen plaatsen wij dus niet. Er wordt *niet* gevloekt in onze kerk!'

Er is geen betere remedie tegen depressie, wanhoop, neerslachtigheid en een gevoel van algehele hulpeloosheid dan een avond bomen met Dees over de toestand van de wereld in het algemeen en die van de wetenschap in het bijzonder. Dees werkt al jaren aan een boek dat gaat bewijzen dat Darwins evolutietheorie niet klopt.

'De microbiologie gaat Darwin de genadeklap geven, let maar op!' Dat zei hij in de tijd dat hij mij van de uitgeverij had verbannen omdat hij vond dat ik eerst maar eens het verlies van Monika moest verwerken, al zei hij dat niet zo. In die dagen zagen we elkaar uitsluitend in de kroeg, waar ik vaker kwam dan hij – en dat wil wat zeggen. Soms bracht ik Bo naar mijn ouders, die hem lieten slapen in mijn oude kamer, in mijn oude bed, waarin ik ooit één keer met Monika neukte. (Mijn ouders waren op vakantie. Wij verzorgden de post en de planten. We voelden ons twee stoute kinderen. Toen we klaar waren vroeg Monika: 'Waar fantaseerde jij als puber over?' En toen ik haar dat vertelde moest ze zo hard lachen dat ze in mijn bed plaste. Maar dat wisten mijn ouders allemaal niet, en Bo gelukkig ook niet.)

Meestal nam ik Bo gewoon mee naar de kroeg. Hij kon er uitstekend slapen, al had niemand dat in de gaten omdat hij zijn ogen niet meer sloot. In de kroeg had Bo nooit last van nachtmerries. Hij dronk er grote glazen melk, of appelsap uit een flesje. En hij vond dat het er lekker rook. 'Wat stinkt het hier lekker,' zei hij bij zijn eerste bezoek. Over meeroken hoorde je in die dagen nooit iemand – de Groene Gereformeerden moesten nog worden uitgevonden.

'In Darwins tijd,' zei Dees, 'hadden ze geen idee hoe een

cel er vanbinnen uitzag. Daarom kon hij makkelijk beweren dat het oog zich had ontwikkeld uit lichtgevoelige cellen. Wist hij veel wat er in een lichtgevoelige cel allemaal gebeurt – laat staan *hoe* dat gebeurt. Hij had niet de flauwste notie van wat er allemaal bij komt kijken om zelfs maar de simpelste functieverandering in zo'n cel tot stand te brengen, om nog maar te zwijgen van een structurele *verbetering*. Darwin kon niet weten dat cellen vol zitten met onreduceerbaar complexe systemen – en dat soort systemen zijn *killing* voor de evolutietheorie.'

(Onreduceerbaar complexe systemen, zo heeft Dees mij sindsdien meermalen uitgelegd, kunnen niet stapje voor stapje ontstaan, via kleine toevallige genetische mutaties. Ze werken, net als bijvoorbeeld een muizenval, alleen als alle onderdelen op de juiste plek zitten en op het juiste moment de juiste functie vervullen. Is één onderdeel niet voorhanden, of doet het niet wat het moet doen, dan werkt het hele systeem niet – en is daarmee een nutteloze adaptatie, die onder druk van de natuurlijke selectie weer zal verdwijnen.)

'Elke moleculair-bioloog,' vervolgde Dees, 'weet tegenwoordig dat de overgrote meerderheid van de systemen die hij bestudeert onreduceerbaar complex is. En dus dat het fundament onder de hele hedendaagse biologie zo rot is als een mispel. Alleen: hij durft het tegen niemand te zeggen. Want dan dondert het hele neodarwinistische kaartenhuis in elkaar!'

Dees dronk in die dagen marguerita's, wat iets te maken had met een vakantieliefde. Ik dronk rode wijn. In de roes van rode wijn wordt verdriet tegelijkertijd groter en draaglijker. Ik kon naar Dees zitten luisteren en ondertussen kon mijn verdriet om Monika's dood zo groot worden dat het hele café erdoor werd gevuld. Dan was het alsof het rumoer, de stemmen, de muziek mij bereikten door een muur van wattenbollen (alleen de stem van Dees bleef helder, ieder woord van zijn opgewonden betoog drong scherp en duidelijk tot mij door, zodat ik het jaren later nog vrijwel letterlijk kon reproduceren – tot Dees' verbijstering). Tegelijkertijd was het alsof ik niet langer op die stoel zat, aan dat tafeltje tegenover hem, met mijn zoon van drie op schoot, maar door de ruimte zweefde, door de sigarettenrook en de stank van verschaald bier, bezwete lichamen, goedkope parfum, en vanuit de hoogte neerkeek op het krioelen, als een vogel, een dode ziel, God. En om mij heen dijde mijn verdriet steeds verder uit, vulde de stad, het land, de stratosfeer. Op zulke momenten meende ik te weten wat Bo droomde als hij van de wereld viel.

'Ik zeg je,' zei Dees, 'Hitlers ideeën over de rassen waren beter onderbouwd dan Darwins evolutietheorie.'

Daar dronken we op en we bestelden nog een marguerita en een karafje rode wijn. En ik zei: 'Heb je dat gehoord, Bo? Zoek niet naar dat wat je bestaande ideeën bevestigt, maar naar dat wat ze onderuitschopt. Aldus sprak ome Dees.'

Maar Bo had niets gehoord. Bo sliep met wijdopen ogen. En nu, tien jaar later, zit ik opnieuw met Dees in de kroeg, en praten we weer over theorieën die niet kloppen en wereldbeelden die tegen beter weten in in stand worden gehouden, en ik denk: de mens is niet in staat tot leren.

Achtentwintig

Uit onderzoek blijkt dat mensen die op kraamvisite komen veel vaker zeggen dat het kind op de vader lijkt dan op de moeder. De verklaring die de onderzoekers hiervoor geven is dat de visite onbewust probeert de vader gerust te stellen.

Natuurlijk zijn er ook gevallen waarin de baby werkelijk als twee druppels water op de vader lijkt. De gelijkenis tussen George Bush junior en zijn beroemde vader is zo groot dat je je afvraagt of mevrouw Bush er überhaupt aan te pas is gekomen, of dat hier sprake is van de eerste geslaagde menselijke kloon. En dat Martijn Krabbé een zoon is van Jeroen, ook dat lijdt geen twijfel en gun je ze beiden. Maar als Jordi geen Cruijff had geheten, wie had in hem dan de zoon van de grootste voetballer aller tijden gezien? En wie zou, enkel op grond van het uiterlijk, Claus von Amsberg hebben aangewezen als de natuurlijke vader van Willem-Alexander van Oranje-Nassau? Alex lijkt toch vooral op zijn moeder. Net als Bo, de oudste zoon van Niko en Anke Neerinckx. Terwijl Bo, de enige zoon van Monika Paradies zaliger, evenveel (of even weinig) op zijn moeder lijkt als op de man die hij zijn vader noemt, maar die het niet is.

Lijkt Bo dan op Niko Neerinckx? Nee. Althans: niet op de foto die ik van Niko Neerinckx heb gezien. En niet op de herinnering die ik aan hem bewaar, al is die vaag en ongetwijfeld onbetrouwbaar. Maar zegt dat iets? Kunnen we op grond van het gebrek aan gelijkenis tussen vader en zoon conclusies trekken over het liefdesleven van mevrouw Cruijff of dat van de koningin?

Voor wie op zoek is naar de vader van zijn zoon is uiterlijke gelijkenis een zeer onbetrouwbaar richtsnoer. Een DNA-test zou wellicht uitsluitsel kunnen geven, maar ik geloof niet dat ik het aandurf om daarop aan te sturen. Dees heeft, zoals zo vaak, gelijk: niemand garandeert mij dat het makkelijker is te leven met de antwoorden dan met de vragen. Ik zal Niko Neerinckx daarom niet met mijn bevindingen confronteren.

Maar de kans om nog even in zijn privéleven te blijven spitten laat ik mij niet ontnemen!

Noem het wraakzucht, of noem het perversie, maar toen Anke en ik die middag vergeefs naar de verzonnen brief hadden gezocht in de spleet tussen de zolderbalken, en toen we de foto's hadden bekeken en zij zei dat ze de kinderen van school moest halen, toen ik opstond en mijn jas aantrok, en bij de deur stond en me naar haar omdraaide, toen keek ze me aan met een blik die tegelijk onschuldig en doortrapt was (omdat het een jongemeisjesblik was in een vrouw van vijfendertig) en ze zei: 'Als je nog eens in de buurt bent, kom dan gerust nog eens langs. Ik vond het gezellig.'

En ik zei: 'Dat zal ik doen.'

De eenzame huisvrouw die de glazenwasser, de loodgieter of de postbesteller het bed in sleurt is het grootste cliché uit de mythologie van de moderne seksualiteit. Maar dat het tot zo'n cliché kon uitgroeien, zo verzekeren ons de seksuologen, is het rechtstreekse gevolg van de alledaagse praktijk van ons liefdesleven, en die is weer het rechtstreekse gevolg van onze zelfzuchtige genen. Een man met een goede betrekking bij een verzekeringsmaatschappij mag dan de stabiliteit bieden die historisch gezien een van de belangrijkste factoren is voor het al dan niet succesvol grootbrengen van nageslacht, zo'n man is verder vermoedelijk geen winnaar. Hij kan fysiek niet op tegen de mannen van het buitenleven, de mannen die hun brood verdienen met hun lijf en hun handen in plaats van met hun hoofd (of met overheadprojectoren, spreadsheets, computerprogramma's, videocamera's en monitoren).

Glazenwassers, loodgieters en postbestellers vormen de ideale partij voor een goede spermaoorlog, niet in de laatste plaats omdat de kans op ontdekking minimaal is.

En hoe past Erik Aldenbos, het alter ego waarmee ik het leven en huis van Anke Neerinckx ben binnengedrongen, hierin? Wil Anke Neerinckx met hem naar bed? Sturen haar genen haar op het pad van overspel en bedrog, of herkennen ze in hem, kinderloos tenslotte, onmiddellijk een inferieure spermadonor en blijft zij daardoor van ieder lustgevoel voor hem verstoken?

Ik had me vooraf niet gerealiseerd hoe prettig het is om opeens over een tweede identiteit te beschikken. Om even niet meer Armin Minderhout te hoeven zijn, met een dode, overspelige geliefde, en een kind dat niet van hem is, en een vrouw die wel met hem wil trouwen maar bij wie hij nooit meer voor nageslacht zal zorgen. Erik Aldenbos is het goedkope alternatief voor het boeken van een enkele reis naar de andere kant van de wereld. (Ook die gedachte, om een reis te boeken naar de andere kant van de wereld, is bij me opgekomen sinds ik voor het eerst de woorden 'syndroom van Klinefelter' hoorde.)

Op een zonnige voorjaarsdag, vlak voor het middaguur, staat Erik Aldenbos weer bij Anke Neerinckx op de stoep. Onder zijn arm heeft hij een houten kistje met daarin twee flessen van een bijzonder goede witte bordeaux: de Chateaux Anniche 1992. Een stevige fijndroge wijn, eerder floraal dan fruitig, en met een stuivend bouquet dat te danken is aan de gebruikte sauvignondruif. Dit keer heeft hij vooraf gebeld. Of het schikte. (Of haar echtgenoot niet thuis was.) Het schikte. (Hij is niet thuis.)

Ze doet open in een lichte zomerse broek en een wijdvallend T-shirt. Huiselijk, gemakkelijk, maar toch ook: over nagedacht, zorgvuldig bij elkaar gezocht. Het zachte blauw van het shirt kleurt goed bij haar ogen. Ze draagt linnen schoenen die het midden houden tussen espadrilles en sloffen. Ze is een huisvrouw, maar wel een huisvrouw van de wereld. Ik overhandig haar het kistje met de wijn en denk: dit is een B-film. En B-films lopen wel altijd goed af, maar zelf haal ik zelden het einde.

Ze heeft de tafel gedekt, met zwarte kunststof placemats, ruwe aardewerken borden en een zwaar roestvrijstalen bestek dat zeer nadrukkelijk is vormgegeven. De wijnglazen staan op helblauwe voeten. Boven ons hoofd tikt aan de geel gesauste muur een oude stationsklok.

'Proost,' zegt zij als de roomboter op tafel is gezet, en de verse zalm, en de kappertjes, en de olijven, de chorizo en de ciabatta, het schaaltje met de zwartebessenjam met het zilveren lepeltje uit de erfenis van schoonmama, en natuurlijk de verse croissantjes.

'Op het goede leven.'

'Op *living on the edge at home*.' En we klinken en drinken en lachen en eten en de zon schijnt naar binnen en boven onze hoofden tikt de klok en zij wil weten wie ik nu eigenlijk ben en zelf ben ik zo langzamerhand ook wel nieuwsgierig en dus begin ik aan de ongewisse weg van waarheid, leugens en verdichting die moet leiden naar het antwoord op de vragen: wie is Erik Aldenbos en neukt hij straks met Anke Neerinckx?

'Wat doe je voor de kost?' vraagt zij.

'Ik ben freelance redacteur bij een wetenschappelijke uitgeverij.'

'Ben je getrouwd, verloofd, gescheiden, alleen?'

'Alleen.'

'Waarom?'

'Waarom niet?'

'Omdat het leuker is met z'n tweetjes dan alleen.'

'Ja?'

'Denk jij van niet?'

'Niet per se. Het hangt ervan af.'

'Waarvan af?'

'Van de ander, om te beginnen. Ik bedoel: die ander moet het waard zijn.'

'Wat waard zijn?'

'Het waard zijn om er veel voor op te geven.'

'Moet je dan veel opgeven?'

'Dat kan ik beter aan jou vragen. Heb je veel moeten opgeven?'

'Ja,' zegt ze.

'En nu ga je zeggen dat je er ook veel voor terugkrijgt,' zeg ik.

'Inderdaad.' En ze lacht en ze neemt een hap van haar croissant, en er blijft een beetje jam achter op haar bovenlip en die likt ze even later weg met het puntje van haar tong en daarna neemt ze een slok wijn en vraagt: 'Heb je ooit genoeg van iemand gehouden om er je leven mee te willen delen?'

'Ja.'

'En wat ging er mis?'

'Ze ging ervandoor met een ander.'

'Weet je,' zegt ze met een plotselinge felheid. 'Toen ik achttien was, wist ik één ding zeker: ik wil nooit vervallen in de clichés waarin al die andere mensen om mij heen vervallen zijn. En zie me nu eens zitten.'

'Hoe ben je je man tegengekomen?'

'Ik was op reis. Hij was de reisleider. Heel cliché!' Ze lacht een spottend lachje.

'Je was met je toenmalige vriend,' zeg ik. 'Jullie wilden jullie relatie redden door samen op reis te gaan.'

Ze kijkt me vol verbazing aan. Schatert het dan uit. 'Ja, precies! Precies! Mijn God, is het zo voorspelbaar? O, wat erg!'

'Geeft niks,' zeg ik. 'Dat je op je achttiende absoluut zeker weet dat je nooit wilt worden als al die suffe andere mensen is net zo'n cliché als dat je later toch zo wordt. Wat popidolen over de liefde hebben te melden is net zo leeg als het huwelijk van de ouders van de gemiddelde tiener – alleen: die tiener weet dat nog niet.'

'Maar wat moeten we dan? Ik bedoel: wat moeten we als we daar eenmaal achter zijn gekomen? Moeten we de liefde dan maar opgeven, afschrijven, bij het oud vuil zetten?'

'We moeten hem opnieuw uitvinden,' zeg ik en ik heb geen idee wat ik daarmee zou kunnen bedoelen.

'Wat bedoel je daarmee?'

'Er is de liefde van onze ouders, of althans: het beeld van de liefde van ouders zoals hun kinderen dat hebben en dat van alle tijden is. Dat is een liefde die gebaseerd is op afspraken, op een praktische drang tot overleven. Het is een liefde die in de ogen van de jongeren de naam liefde niet mag dragen. Het is een pragmatische liefde en daarmee op zijn best een halve liefde. En dan is er de liefde van de jeugd: de onvoorwaardelijke liefde, de grootse, meeslepende liefde, de liefde die alles verteert als een vuur, de liefde die wordt bezongen in honderdduizend nummer één-hits. Maar ook dat is op zijn best maar een halve liefde, omdat het een utopische liefde is. En utopieën die werkelijkheid worden, verkeren onmiddellijk in hun tegendeel. Zoals ook grote meeslepende liefdes, wanneer zij een bestendige werkelijkheid worden, steevast veranderen in een hel. Zie Pinter. Daarom kunnen romantische helden slechts op één manier overleven: door jong te sterven. Als Romeo en Julia de kans hadden gekregen te trouwen, zouden zij nooit een plaats hebben gekregen in de wereldliteratuur. Of het moet in *Who's afraid of Virginia Woolf?* zijn geweest.'

'Dus?'

'Dus?'

'Ja. Je zei dat we de liefde opnieuw moesten uitvinden. Maar hoe moet dat dan?'

'De liefde van de ouders en de liefde van de jeugd hebben één ding gemeen,' zeg ik, zonder dat ik weet wat er komen gaat. 'Ze zijn beide zelfzuchtig. Misschien is de liefde die we moeten ontdekken wel de liefde die niet meer zelfgericht is. Misschien ziet liefde er wel heel anders uit dan wij denken. Misschien komt zij helemaal niet uit onszelf voort. Niet uit ons hart, zoals de romantici geloven, noch uit ons brein, zoals de rationalisten denken, noch uit onze genen, zoals de biologen beweren. Misschien is liefde niets anders dan dat wat leven geeft. En daar kun je deel aan hebben, of je ervoor afsluiten. Dat kun je bevorderen of bestrijden. Maar misschien is dit ook wel allemaal wartaal.'

('God is liefde,' zei ik tegen Bo toen hij nog heel klein was, 'en liefde dat is God.' Maar later, toen Monika dood was en toen ik hem had verteld van de Donkere Kamer van God in het Huis van het Weten, toen kwam hij op een middag uit school en vroeg: 'Volgens een jongen uit mijn klas is God een grote straal van licht, zoiets als de zon maar dan anders. En als je iets verkeerds doet wordt hij boos en dan dondert hij, net als bij een onweer. Is dat waar?' En ik zei: 'Nee, dat is niet waar.' En hij vroeg: 'Hoe zit het dan?' En ik zei: 'We kunnen God niet kennen. God is een onoplosbaar mysterie.' En dat geldt ook voor de liefde.)

Is Erik Aldenbos met Anke Neerinckx naar bed geweest?

Nee.

Had dat gekund?

Ja, zegt Erik Aldenbos niet gehinderd door de zelfrelativering die het onvermijdelijke gevolg is van de ontdekking dat je eigen kind je kind niet is.

Zou het de ultieme wraak zijn geweest om te neuken met de vrouw van de man die je vrouw neukte?

Nee. De ultieme wraak is om het niet te doen, terwijl het wel had gekund. (Houd ik mezelf voor in de trein op weg terug naar Amsterdam. Veel langer lukt niet.)

Negenentwintig

'Was Niko Neerinckx op de begrafenis?'

'Och Armin, denk je nou nog steeds dat hij het heeft gedaan?'

'Ik vraag alleen of hij op de begrafenis was.'

'Ja natuurlijk. Iedereen van De Kleine Wereld was er.'

Dat is waar. Ze waren er allemaal. Op twee reisleiders na die in Afrika zaten. Monika had kort daarvoor haar laatste reis gemaakt. Ze zou binnen enkele weken aan een nieuwe baan beginnen.

Ik had zelf naar De Kleine Wereld gebeld op de dag dat Monika was overleden. Die middag zouden twee collega's langskomen in het ziekenhuis. Ik belde om te zeggen dat dat niet meer nodig was. De vele telefoongesprekken die ik in die paar dagen heb gevoerd staan me allemaal nog helder voor de geest. Het was alsof ik mezelf voor alle andere indrukken afsloot en alleen die gesprekken registreerde, met pijnlijke precisie. Wat de meeste indruk op mij maakte waren de stiltes aan de andere kant van de lijn, elke keer als ik zei wat er gebeurd was.

'Jullie hoeven niet meer te komen. Monika is vanochtend overleden.'

Stilte.

'Gistermiddag was ze nog even bij kennis. Ze zei: Ik ga dood. Het spijt me. Ze is niet meer wakker geworden.'

Stilte.

'Monika is dood.'

Stilte.

'Ze zuchtte nog een keer. Heel diep. Toen was het afgelopen.'

Stilte.

Elke keer koos ik andere woorden, maar elke keer was de
reactie hetzelfde. Behalve bij Monika's moeder. Die legde
meteen de hoorn op de haak.

Mijn moeder was heel lang stil. Begon toen zacht te snikken. 'O Armin! O Armin! O Armin!' Mijn vader kwam aan
de lijn. 'Zeg dat het niet waar is!' 'Het is waar.' 'O God!' 'O
God! O God!'

Er werd veel gehuild aan de andere kant van de lijn.

Maar huilen kon ik niet.

Zelfs niet bij het 'Erbarme dich' uit de *Matthäus Passion*,
dat in de aula klonk na Dolly Partons 'I will always love
you', en dat tot veel ingehouden gesnik en gesnotter leidde.
(Nog kan Ellen Bachs mooiste aria niet met droge ogen aan-
horen. Dan zitten wij samen op de bank en als Petrus voor
de derde keer zijn meester heeft verloochend en de evangelist verhaalt hoe de haan kraait en hoe de laffe discipel zich
de woorden van Jezus herinnert – '*Ehe der Hahn krähen wird,
wirst du mich dreimal verleugnen*' en hoe hij heen gaat en
bitter weent, dan pak ik haar hand en streel die en streel die
en streel die tot het voorbij is en het koor ons beiden troost:

*Bin ich gleich von dir gewichen, stell' ich mich doch wieder
ein;*
*Hat uns doch dein Sohn verglichen durch sein Angst und To-
despein*
Ich verleugne nicht die Schuld, aber deine Gnad' und Huld'
Ist viel grösser als die Sünde, die ich stets in mir befinde

Je hoeft voor Bach niet te geloven. Een hart hebben dat niet
versteend is, is genoeg.

'Niko Neerinckx heeft een zoon die Bo heet.'

'Wat bedoel je?'

'Precies wat ik zeg: Niko Neerinckx' oudste zoon heet Bo.'

'Niko Neerinckx is niet de vader van Bo, Armin.'

'Hij heeft een zoon van acht die Bo heet. En hij bewaart een foto van Monika in zijn familicalbum.'

'Waar heb je het over? Hoe kom je daarbij? Hoe weet je dat allemaal?'

'Ik ben op bezoek geweest bij zijn vrouw. Anke heet ze. Anke Neerinckx.'

'Bij zijn vrouw? Wanneer? Waar ben je in godsnaam mee bezig Armin?'

'Met het vinden van antwoorden. Ik ben ook bij Robbert geweest, Robbert Hubeek, met wie Monika was voordat ze mij ontmoette. Hij is het in ieder geval niet. En haar huisarts ook niet.'

'Haar huisarts? Je verdacht haar huisarts?!' Ellen schiet in de lach.

'Zo gek is dat niet.'

'Maar hij was het niet?'

'Nee.'

'Wat heb je hem dan gevraagd? Hoe heb je dat in hemelsnaam aangepakt? Bent u de vader van mijn zoon?'

'Precies. En hij was het niet. Ik heb ook nog gevraagd of zij hem misschien in vertrouwen had genomen. Of ze ooit iets had gezegd, over een ander. Maar dat was niet zo.'

'En nu weet je opeens zeker dat het Niko Neerinckx is.'

'Ja. Niko Neerinckx is de vader van Bo. Van twee Bo's om precies te zijn.'

'Mijn God, Armin, en dat heb je tegen zijn vrouw gezegd?'

'Nee. Nog niet.'

'Dat zou ik ook maar niet doen. Hij is het niet, Armin. Monika had niks met Niko. Ze zag niets in die jongen. Dat weet ik heel erg zeker.'

'Kom nou, Ellen! Als jij niet weet wie het wel is, als jij nooit vermoed hebt dat Monika überhaupt ooit vreemd is gegaan, wie ben jij dan om mij te vertellen voor wie ze wel of niet viel? Wat weet je dan van haar, Ellen?'

'Armin, niet doen. Het is niet waar.'

'Geef me dan een goede reden waarom ik je moet geloven. Eén goede reden! Weet je misschien toch iets wat ik niet weet? Nee? Nou dan! Waarom moest Niko zijn zoon zo nodig Bo noemen, terwijl zijn vrouw het een rare naam vond? Leg me dat dan eens uit, Ellen, als je het allemaal zo goed weet! Is dat niet al te toevallig? Nou?'

'Niet doen Armin.'

'Nou? Geef dan eens antwoord? Je wilt gewoon niet geloven dat Monika zoiets gedaan kan hebben. Dat ze geneukt kan hebben met de jongen op wie jij zo hopeloos verliefd was. Dat breekt je hart. Maar godverdomme, Ellen, wat denk je dat er met mijn hart is gebeurd? Ik kan me niet verschuilen voor de waarheid, ik kan niet wegkruipen zoals jij. Ik kan mijn ogen niet sluiten! Jij weet niet wat het is om na dertien jaar je zoon te verliezen. Jij weet niet wat dat is, de liefde van een ouder voor een kind. O God, Ellen, niet doen! Niet doen! Niet nu! Jezus Christus!'

Ik heb haar alleen gelaten met haar tranen. Ik ben naar buiten gegaan. De regen ingelopen. Door de straat waar wij wonen liep vroeger een goederenspoor. Wagonladingen koffie en cacao en gekoelde karkassen uit het slachthuis kwamen hier voorbij. Nu zie je er vooral verhuiswagens vol Ikea-meubels van de jonge, ambitieuze stellen die de wijk gebruiken als tussenstop op weg naar de onvermijdelijke eengezinswoning. Wij wonen in de restanten van een glorierijk verleden, tussen mensen vol dromen over de toekomst. Nog niet zo lang geleden vond ik dat geruststellend.

Ik heb gelopen tot mijn voeten pijn deden. Toen ben ik naar huis teruggegaan. Ellen zat nog in de kamer op de bank. Maar ik ben naar bed gegaan zonder iets te zeggen. Ik ben als een blok in slaap gevallen. Ik droomde dat ik neukte met Anke Neerinckx en dat Ellen toekeek en dat ze huilde en huilde en huilde en toch ging ik door totdat Anke schreeuwend klaarkwam. 's Ochtends had ik een verschrikkelijke hoofdpijn. 's Ochtends was de plek naast me koud en leeg.

Ik loop naar Bo's kamer. Hij slaapt nog, maar als ik op de rand van zijn bed ga zitten wordt hij wakker.

'Wat is er?'

'Niks. Ellen en ik hebben ruzie gehad.'

Hij kijkt me aan met ogen waar de slaap nog niet uit is verdwenen. 'Erg?'

'Ik weet het niet. Nee. Het komt wel weer goed. Het komt altijd goed.'

Maar dat gelooft Bo niet. Dat gelooft hij niet meer sinds hij drie was en zijn moeder verloor. Hij is bezorgd. Hij kijkt me niet aan. Gaat op de rand van zijn bed zitten. Hij wordt groot, denk ik. Hij begint mannenharen op zijn kuiten te krijgen. En plotseling slaat de paniek me om het hart. Ik kan niet zonder hem! Ik mag hem nooit verliezen! Ze mogen me hem niet afnemen! Ze. Ze? Wie?

'Je bent de laatste tijd... anders,' zegt hij. 'Afwezig.' Hij kijkt me nog altijd niet aan. Ik volg zijn blik. Hij kijkt naar een schildhagedis die roerloos op een steen zit, zijn kop naar het bleke ochtendlicht gekeerd dat door het raam naar binnen valt. Bo heeft het geduld van zijn favoriete huisdieren. Zoals de hagedissen wachten op het moment waarop een vlieg zijn voorzichtigheid verliest, zo kan Bo wachten op het moment waarop ik mijn schild laat zakken.

'Ja,' zeg ik. 'Die uitslag uit het ziekenhuis heeft me meer aangegrepen dan ik had verwacht.' Ik minacht mezelf omdat ik tegen hem lieg – moet liegen. 'Misschien,' zeg ik, 'moeten we er weer eens samen op uit, jij en ik.'

Hij kijkt me aan. 'Wij tweetjes? En Ellen dan?'

'Ellen redt zich wel. Zij heeft toch ook het nodige om over

na te denken. En ze zal blij zijn dat ze me even kwijt is.'

'Ja,' zegt hij. En dan, na een lange stilte, heel bedachtzaam: 'Ja, dat is zo.'

De hagedis draait zijn kop een heel klein stukje meer naar
het licht. Dan bevriest hij weer.

'Waar zullen we naar toe?' vraagt hij.

'Hoe lang gaan we?'

'Een lang weekend?'

'De Waddeneilanden?'

'Welke?'

'Ameland?'

'Dat is goed.'

'Armin is gek,' had ze op Ameland in het zand geschreven.

'Wat staat daar?' vroeg Bo. Hij was net drie geworden.
Hij stelde de hele dag vragen. Ik vertelde hem wat zijn moeder over zijn vader beweerde. Hij was het hartgrondig met
haar eens.

'Armin is gek! Armin is gek!' riep hij. En ik dreigde hem
op te voeren aan de meeuwen, hem in de branding te gooi-
en, hem in te graven in het natte zand. En hij krijste en lachte en rende van mij weg, op zijn kleine laarsjes. En de zee
kwam en waste de letters weg. En opeens betrok zijn gezicht.

'Wat is er Bo?' vroeg Monika.

Maar daar gaf hij geen antwoord op. Hij pakte haar hand
en samen liepen ze terug naar de duinen. En ik keek ze na,
terwijl het water om mijn enkels spoelde en ik dacht: Ik ben
volmaakt gelukkig.

Dertig

Ik sta met Bo op de dijk bij Enkhuizen. Het water van het IJsselmeer is een diep donkergroen. De wind zet er witte koppen op. Wolken werpen donkere schaduwen die met grote snelheid over het water glijden. Aan de overkant zien we de Friese kust en de toren van Stavoren.

Bo pakt de verrekijker en kijkt. De wind doet hem bijna zijn evenwicht verliezen.

'Kom,' zeg ik. We lopen de dijk af naar waar het water tegen het zwarte basalt klotst. De dijk beschermt ons nu tegen de hevigste wind. Opnieuw zet Bo de kijker aan zijn ogen.

'Er rijdt een blauwe auto over de dijk,' zegt hij.

'Welk merk?'

Maar dat kan hij niet zien.

Hij heeft grote rode vlekken op zijn wangen en als hij mij de kijker geeft schitteren zijn ogen. Hij lacht een hoge giechellach. 'Hihi! Hihihi!'

Een vlucht aalscholvers komt laag over het water onze kant op. In de kijker hebben ze zichtbaar moeite met de wind.

'Kijk Bo,' roep ik, 'aalscholvers!'

Maar Bo is al van mij weggelopen. Hij zit gehurkt op het basalt en peutert met zijn smalle jongensvingers iets tussen de stenen vandaan. Zo gaat het al jaren: ik kijk naar de vogels in de lucht, Bo kijkt naar wat er kruipt tussen zijn voeten. Om te zien wat er in de wereld vóór ons gebeurt hebben we anderen nodig, zoals blinden een geleidehond.

Thuis had ik het hem uitgelegd, aan de keukentafel. Op een vel papier tekende ik met een passer een cirkel. 'Stel dat dit de aarde is,' zei ik, 'dan is dat de noordpool, dit de zuidpool en dit de evenaar,' en ik zette een *N* bij het topje van de cirkel, een *Z* aan de onderkant, en deelde de cirkel met een horizontale lijn precies doormidden.

'Volgens de geleerden is de afstand van het middelpunt van de aarde tot de rand ongeveer vierenzestighonderd kilometer. Die afstand heet de straal. Maar je hebt er natuurlijk meer aan om te weten hoe groot de afstand is van bijvoorbeeld de noordpool tot de evenaar. Om die te berekenen heb je een formule nodig die volgens de geleerden is ontdekt door Pythagoras, een oude Griekse wijsgeer. Die formule luidt: de omtrek van een cirkel is gelijk aan twee keer de straal maal het getal pi. En wat is het getal pi? Pi is een letter in het Griekse alfabet, zeg maar onze p. Maar pi is ook een getal met heel veel cijfers achter de komma en dat ongeveer gelijk is aan 3,142.'

'O,' zei Bo.

'Als dus de omtrek van een cirkel gelijk is aan twee keer de straal maal pi, dan kunnen we eenvoudig de afstand van de noordpool tot de evenaar berekenen. Die is dan namelijk twee keer vierenzestighonderd maal 3,142 gedeeld door vier.' Ik pakte de rekenmachine erbij en liet Bo de berekening uitvoeren.

'De afstand van de noordpool tot de evenaar,' zei hij met een gewichtige stem, 'is tienduizendvierenvijftig-kommavier kilometer.'

'Mooi zo,' vervolgde ik. 'Tenminste, als Pythagoras gelijk had. Laten we dat even controleren.' Uit de kast pakte ik een bolletje paktouw en knipte er een stuk van af. 'Leg dat eens zo precies mogelijk over de lijn van de cirkel heen.'

Met het puntje van zijn tong uit de mond deed Bo wat ik van hem vroeg. Met een lineaal maten we vervolgens de lengte van het stuk touw op dat nodig was geweest om de cirkel in zijn geheel te omvatten. Daarna maten we de straal van de cirkel.

'Nu delen we de gemeten omtrek door twee en door het getal pi, ofwel 3,142. Wat is de uitkomst?'

'Die is precies even groot als de straal van de cirkel!' riep Bo verheugd.

We tekenden nog twee cirkels, op nieuwe vellen papier, van andere afmetingen. En weer maten we met het touw de omtrek en de straal. En nogmaals tikte Bo de uitkomsten in op de rekenmachine en voerde de berekeningen uit. En elke keer klopte de uitkomst als een bus.

'Daarom werd pi een heilig getal genoemd,' zei ik. 'Omdat het de mens op wonderbaarlijke wijze in staat stelt de omtrek van een cirkel te voorspellen op grond van kennis over de straal. En dat is lang niet alles. Het getal pi zit verscholen in allerlei natuurlijke fenomenen. In de getalsverhoudingen tussen noten in de muziek bijvoorbeeld. En zelfs in de verhouding tussen de afstanden tussen nieuwe bladeren aan een jonge tak van een boom. Maar dat zul je allemaal nog wel ontdekken te zijner tijd. Nu gaan we ons met iets heel anders bezighouden.'

Ik schonk wat te drinken voor ons in. Een glas cola voor Bo, een glas whisky voor mezelf.

'We weten nu dus dat als je van de noordpool naar de evenaar zou lopen, dat je dan tienduizend kilometer aflegt. En als we nu de noordpool beschouwen als het hoogste punt van de aardbol, hoeveel kilometer daal je dan, relatief gezien, in hoogte?'

'Vierenzestighonderd kilometer!'

'Precies! Maar nu komt het moeilijkste gedeelte. Als we jou hier op de noordpool zetten (ik tekende een klein poppetje naast de *N*) dan lijkt het in het begin alsof de aarde nauwelijks omlaag kromt, maar hoe verder je vervolgens komt, hoe sneller het verval, totdat je ten slotte bij de evenaar vrijwel loodrecht omlaag loopt. Dat is wat geleerden het "boltheoretisch verval" noemen. Het uitrekenen van dat boltheoretisch verval is erg ingewikkeld, maar de uitkomst is precies even voorspelbaar als de omtrek van een cirkel waarvan de straal bekend is – je gebruikt alleen een andere formule. Volgens de wetenschappers die die berekeningen hebben uitgevoerd is het hier op aarde zo dat een punt dat zich bijvoorbeeld acht kilometer bij jou vandaan bevindt, relatief gezien ongeveer vier meter lager ligt. Vandaar, zeggen zij, dat je een schip dat op zee van jou weg vaart, langzaam achter de horizon kunt zien verdwijnen. Het lijkt alsof het schip in de golven verdwijnt, net zoals de oude Grieken dachten dat de zon elke avond achter de westelijke rand van de aarde verdween. Daar zou dan een grote wagen klaarstaan, met vurige paarden ervoor die de zon 's nachts snel naar de andere kant van de wereld brachten, zodat hij 's ochtends in het oosten weer op kon gaan.'

'Maar in het echt,' zei Bo, 'draait de aarde als een bolletje in de rondte, en verdwijnt het schip niet in de golven en gaat de zon helemaal niet echt omlaag of omhoog.'

'Precies!'

Bo nam een slok van zijn cola en zei toen: 'Is dat alles wat je me wilde leren, vanavond? Ik wist toch allang dat de aarde een bol was. En dat schepen aan de horizon niet zinken, maar wegzakken doordat de zee net als het land krom loopt.'

'Ik was ook nog niet klaar,' zei ik. 'Er is namelijk een probleempje. Het boltheoretisch verval neemt namelijk toe naarmate de afstand groter wordt, zoals je aan de hand van onze cirkel makkelijk kunt zien. Waar het verval bij acht kilometer maar vier meter is, bedraagt het bij zestien kilometer geen acht maar al twintig meter. En bij twintig kilometer zelfs vijfendertig meter. Met andere woorden: op een afstand van twintig kilometer moet het volgens de berekeningen die uitgaan van een bolle aarde onmogelijk zijn om een dijk, een huis, of zelfs een kerktoren te zien liggen. Nu zullen we morgen eens de proef op de som nemen. Wil je je atlas even pakken?'

Bo gleed van zijn stoel en rende naar zijn kamer. Hij hoefde niet eens het licht aan te knippen om de atlas te vinden.

'Pak de kaart van Nederland er eens bij. Zie je Enkhuizen liggen? En Stavoren?'

Bo wees de twee stadjes aan op de kaart.

'Hoe groot is de afstand tussen die twee plaatsen?' Met behulp van lineaal en schaal had Bo de afstand in een mum van tijd uitgerekend.

'Iets meer dan twintig kilometer.'

'Goed, dan moet het boltheoretisch verval dus iets meer dan vijfendertig meter zijn. En dan moet je zelfs van boven op de dijk in Enkhuizen Stavoren niet kunnen zien liggen. Morgen rijden we naar Enkhuizen om te zien of de theorie klopt met de praktijk.'

'Papa, is de aarde dan plat?' vraagt Bo in de auto op weg terug naar huis.

'Dat lijkt me niet, Bo. Iedereen is het er tenslotte over eens dat de aarde een bol is. Of bijna iedereen. En op foto's uit de ruimte kun je dat ook zien. Maar wat je goed moet onthouden, is dat de mensen heel veel denken te weten, maar dat ze vooral veel geloven. Op school wordt je geleerd dat de aarde bol is, en daarom zegt iedereen te weten dat dat zo is. Ik heb ooit aan mijn aardrijkskundeleraar gevraagd hoe het kan dat je in Enkhuizen de dijk van Stavoren kunt zien liggen. Maar Armin, zei hij, dat is heel eenvoudig. Hij begon met een simpele tekening op het bord. Het was aan het begin van het lesuur. Aan het eind van het uur stond het hele bord vol berekeningen. De leraar had een knalrood hoofd en het zweet liep in straaltjes langs zijn gezicht, maar hij had nog altijd geen antwoord gegeven op mijn vraag. Twee dagen later liep ik hem op de gang tegen het lijf. Ah, Armin Minderhout, zei hij. Over de dijk bij Stavoren. Ik heb daar nog eens over nagedacht en het antwoord is natuurlijk dat je die dijk vanaf Enkhuizen kunt zien door spiegelingen in de luchtlaag. Het is in feite een fata morgana. Een beetje dom van me dat ik daar niet eerder aan had gedacht, maar nu kun je in ieder geval weer gerustgesteld zijn: neem nu maar van mij aan dat de aarde heus een bol is, en niet plat, zoals jij even scheen te geloven. Dat is wat de mensen doen: ze nemen aan dat dingen kloppen omdat de een of andere autoriteit het hun gezegd heeft, en omdat anderen ook zeggen dat het klopt. Of het ook écht klopt, of de dingen zijn zoals we geloven dat ze zijn, dat weten de meeste mensen helemaal niet. Dat mag je nooit vergeten.'

Eenendertig

Mijn vader is dood.

De telefoon ging.
'Spreek ik met meneer Minderhout? Meneer Minderhout, uw vader is dood.'

Het is mijn vaders buurman, een gepensioneerde ambtenaar van de Rijksbelastingen, die in ruil voor een goede fles wijn elk jaar mijn vaders aangifteformulieren invult.

'Hij zit hier tegenover me op zijn stoel bij het raam, uw vader,' zegt hij. 'Ik ging Boris uitlaten. Toen zag ik hem al zitten en ik zwaaide nog, maar hij zwaaide niet terug. Ik dacht: Die zit zeker weer te dagdromen over Marijke. Hij mist uw moeder nog elke dag, zegt 'ie. Maar toen ik terugkwam zat hij er nog precies zo. En toen zag hij me weer niet. Dus ik denk: Hier klopt iets niet. Ben ik meteen achterom gelopen. De achterdeur was niet op slot. Ik zeg tegen Boris: Boris, buiten blijven! Die hond begreep er niks van. Maar ik denk: Dat beest moet ik er niet bij hebben. Ik voelde 'm al aankomen. De schemerlamp was nog aan. Die heb ik maar uitgeknipt. Ik denk dat hij er de hele nacht gezeten heeft. Zijn wijntje staat er ook nog. Halfvol. Of halfleeg. Dat is maar hoe je het bekijkt natuurlijk. Een bourgogne. Uw vader heeft een paar hele goeie bourgognes staan.'

Hij praat maar door.
'De post van gisteren ligt hier voor me op tafel. Twee giroafschriften en een aanbiedingsfolder van een groothandel in bouwmaterialen. Hij heeft nog zitten lezen in een boek.

Iets religieus. Ik wist helemaal niet dat uw vader religieus was. Maar ja, als we ouder worden en als we… Ik bedoel, misschien heeft hij het wel voorvoeld, dat weet je niet. Die dingen lees je weleens. Bach wist ook op welke dag die zou… Die datum schijnt 'ie in allerlei composities te hebben verwerkt. Ik weet zelf niets van muziek hoor, maar dat heb ik eens gelezen. Jaren geleden. En dat ben ik toch niet vergeten. Dat heb je soms, met dat soort dingen. Dat je d'r nog heel lang aan terug blijft denken. Dat je zoiets gelezen hebt en dat je denkt: Zou dat kunnen?'

Ik hoor op de achtergrond een hond janken.

'Jaja, jaja, rustig maar, ik kom eraan! Dat is Boris. Die begrijpt er niks van, die arme hond. Die heb ik buiten gelaten. Ik denk: Die hond, die moet ik er niet bij hebben. Meneer Minderhout?'

'Ja.'

'Ja, ik denk: Ik hoor u helemaal niet meer. Ik bedoel, misschien zou het goed zijn… Ik bedoel.'

'Ik kom eraan,' zeg ik. 'Gaat u maar naar Boris. Ik kom eraan. Ik bel wel bij u aan als ik er ben.'

'O, dat is mooi. Ja, dat is heel mooi.'

Hij klinkt opgelucht. De paniek vloeit weg uit zijn stem. 'Haast u zich maar niet. Ik bedoel…'

'Het is goed, meneer Bruggeman. Dank u wel. Ik kom eraan.'

Ellen is op haar werk.

Bo is naar school.

Mijn vader is dood.

Ik bel Ellen en vertel haar het slechte nieuws.

'Ik kom er meteen aan,' zegt ze.

'Nee, ik kom wel naar jou. Dan rijden we gelijk door.'

Ze is lief tegen me als ze instapt. Op een manier zoals zij alleen lief kan zijn. Met een klein gebaar, een aanraking, een enkel zinnetje.

'Je kunt aan bijna alles wennen. Maar niet aan het on-verhoedse.'

We rijden naar Abcoude. Ik kan voor de deur parkeren. Mijn vader zit en kijkt hoe ik de auto achteruit insteek. Ik schat de afstand tot de stoeprand verkeerd in. De rechter achterband schuurt tegen het beton. Er staan gele narcissen onder het raam. Het duurt heel lang voor ik durf uit te stappen. Mijn vader staat niet op. Hij doet de deur niet open.

Mijn vader is dood. Ik geloof dat het langzaam tot me begint door te dringen.

Boris, een zwarte, pluizige vuilnisbak, blaft en springt uitgelaten tegen het melkglas van de voordeur van meneer Bruggeman. Het duurt even voor de oude man zelf verschijnt. Hij ziet bleek en zijn handen trillen. Op zijn leeftijd moet hij ongetwijfeld denken dat hij nu wel de volgende zal zijn. (Ik denk: Was hij niet eerst aan de beurt, je ziet toch zo dat hij eerder had moeten gaan dan mijn vader? Maar het lot heeft anders beslist. Het lot beslist in mijn leven vaak anders.)

'Meneer Minderhout, mevrouw,' zegt hij. 'Ik ben blij dat u er bent. Komt u verder. Boris, af! Zit! Braaf! Uw vader...'

'We hebben hem gezien.'

'Ja, natuurlijk. Ik wist niet wat ik met hem aan moest, begrijpt u? Ik bedoel...'

'Dat begrijpen we,' zegt Ellen. Ze glimlacht vriendelijk naar hem. 'Kunt u ons meenemen naar hiernaast?'

'Natuurlijk, natuurlijk. Boris, hierrr!' De hond, die alweer luid blaffend en kwispelend op weg was naar de voordeur, loopt terug de kamer in. De oude man sloft naar de keuken, opent een koektrommel en haalt er wat brokken uit.

'Zit.' De hond gaat zitten.

'Wacht.' De man pakt een witte emaillen etensbak waar met rode letters HOND op staat. De hond piept en steekt zijn tong naar buiten. Maar hij verroert zich niet. De man zet de bak op de grond, en nog wacht de hond.

'Toe maar!' En gulzig stort het dier zich op de brokken.

We lopen de kamer uit en de gang in, meneer Brugge-man trekt de deur achter zich dicht. Aan het eind van de gang is een deur naar de tuin. Hij gaat ons voor.

'Doet u wel de deur goed achter u dicht,' zegt hij, 'want Boris maakt tegenwoordig de gangdeur open.'

Als we de tuin in lopen horen we inderdaad hoe binnens-huis een deurknop met een klap omlaag wordt gedrukt, waarna er opgewonden geblaf klinkt in de gang. Voor het raam in de achterdeur verschijnt de zwarte kop van Boris. We moeten er alle drie om lachen. Dan staan we in de tuin van mijn vader. Er staat wat tuingereedschap onder het af-dakje van de schuur. Er staat een doos met viooltjes die de grond nog in moeten. Meneer Bruggeman doet de achter-deur open en stapt naar binnen. Bij de deur van de woon-kamer houdt hij stil.

'Gaat u maar voor,' zegt hij. En we schuiven langs hem heen, eerst Ellen, dan ik, en we lopen de kamer in en kij-ken naar de dode man op de stoel bij het raam. Het is on-tegenzeglijk mijn vader. Maar hij is het ook ontegenzeglijk niet meer. Er hangt een vreemde lucht in de kamer, of mis-schien verbeeld ik me dat maar, maar ook Ellen lijkt even te aarzelen alvorens ze op het dode lichaam afstapt. Daar wacht ze tot ik naast haar sta. Ze pakt mijn hand. Ik weet dat ze nooit veel met mijn vader heeft opgehad. Ze vond zijn zelfverzekerdheid storend, zei ze. 'En hij doet wel als-of hij mij accepteert, maar in wezen tolereert hij me hoog-stens.'

Het heeft me nooit veel kunnen schelen hoe ze over hem dacht. Zo intensief is het contact tussen hem en mij ook nooit geweest. Pas de laatste jaren, sinds de dood van mijn moeder, zagen we elkaar weer wat vaker. Misschien wel om-dat we weer allebei in hetzelfde schuitje zaten. Omdat we weer elkaars gelijken waren: allebei weduwnaar.

'Zo te zien heeft hij geen pijn gehad.'

Het is meneer Bruggeman die als eerste de stilte doorbreekt.

'Nee,' zegt Ellen. 'Hij is gewoon ingeslapen.'

Ze doet een stap dichterbij. 'Zullen we zijn ogen sluiten?'

'Probeer maar,' zeg ik.

'Wil je het niet zelf doen?'

'Nee, liever niet.'

Ze sluit zijn ogen. Ik zie hoe er een rilling door haar lichaam trekt.

'Hij is koud en stijf.'

'Moeten we hem op zijn bed leggen?' vraagt meneer Bruggeman, en aan zijn stem is te horen dat hij hoopt dat we nee zullen zeggen.

'Nee,' zeg ik. 'Laat hem nog maar even zo zitten. Ik bel de uitvaartverzorgers en dan komt het allemaal wel goed.'

'Ik heb het restje van zijn wijn al weggegooid,' zegt meneer Bruggeman. 'En het glas afgewassen. En dat boek heb ik teruggezet in de kast.'

'Dank u wel,' zegt Ellen. Ze heeft nog steeds mijn hand vast. 'Moet ik bellen?'

'Nee, ik bel wel.'

Ik zoek in het telefoonboek het nummer op van de uitvaartverzorgers die de begrafenis van mijn moeder hebben geregeld. Ze beloven onmiddellijk iemand te sturen. Een uur later zitten we aan de keukentafel en bespreken we de dingen die op zo'n moment besproken moeten worden, precies zoals twee jaar geleden. Het is zelfs dezelfde man. Alleen mijn vader neemt niet deel aan het gesprek. Hij zit met gesloten ogen in zijn stoel. Wat hij over zijn uitvaart te zeggen had, heeft hij keurig op papier gezet. De man van de uitvaartverzorging leest het ons voor met een rustige, invoelende stem. Als hij is aangeland bij de muziek, en het *Ave Maria* noemt, dat ook op mijn moeders begrafenis werd gespeeld, krijg ik het plotseling koud. Onder de tafel legt Ellen een hand op mijn been.

'Uw vader geeft er de voorkeur aan te worden gecremeerd,' zegt de man.

Dat heb ik nooit geweten.

Er zijn niet veel mensen bij de plechtigheid.

Van achter het spreekgestoelte laat ik mijn blik langs de gezichten glijden. Een oom en tante, oud en grijs en met de dood in hun ogen, een aantal onbekende gezichten (vermoedelijk oud-werknemers van mijn vaders aannemersbedrijf), twee nichten, de een mooi en slank maar slonzig, de ander dik en lelijk maar tot in de puntjes verzorgd. Hun echtgenoten, die ik voor het laatst zag op de begrafenis van mijn moeder, vonden het dit keer kennelijk de moeite niet om vrij te nemen, en wie ben ik om daar iets van te zeggen? Ik haat begrafenissen en ik zal ieder excuus aangrijpen om er niet heen te hoeven. Voor deze begrafenis was helaas geen excuus voorhanden.

Ik kijk naar Ellen en Bo, naast elkaar op de voorste rij. Ellen knikt me bemoedigend toe. Het wordt tijd dat ik iets ga zeggen.

'Ik heb zesendertig jaar de tijd gehad om me op deze dag voor te bereiden,' zeg ik. 'Het was niet lang genoeg. Wat moet je zeggen op de crematie van je eigen vader? Dat je hem zult missen? Dat hij belangrijk voor je is geweest? Dat je van hem gehouden hebt, ook op de momenten dat je hem haatte? Dat je jezelf er regelmatig op betrapt dat je dingen zegt tegen je eigen zoon die hij vroeger tegen jou zei? Het is allemaal waar, maar wat helpt het?'

Bo kijkt naar de punten van zijn schoenen. Ellen kijkt naar mij. De twee nichten kijken naar de kist. Meneer Bruggeman kijkt naar zijn handen, die gevouwen in zijn schoot liggen. Weer schiet het door me heen dat hij eigenlijk dood had moeten zijn en niet mijn vader. Dát zou ik willen zeggen, maar ik zeg het niet.

Ik zeg: 'Ik ga geen poging doen mijn vader in enkele woorden te typeren. Daarmee zou ik hem tekortdoen en u te-kortdoen en uiteindelijk ook mezelf. Een mensenleven laat zich niet in woorden vangen en dat is maar goed ook. Wat valt er dan verder nog te zeggen? Iemand zei een paar dagen geleden tegen me: Je kunt aan alles wennen, maar niet aan het onverhoedse. En zo is het. Je kunt aan alles wennen, maar niet aan de dood.'

Als het *Ave Maria* klinkt ben ik de enige die huilt. (Bo zit naast me. Ik hoor hem slikken, maar hij huilt niet.) Ellen legt weer haar hand op mijn been. Als ik naar haar kijk, tuit ze heel even haar lippen alsof ze met een kus mijn pijn wil verzachten, zoals moeders dat doen bij kleine kinderen.

Mijn vader is dood, denk ik. Hij ligt daar in die kist en straks wordt hij verbrand. Wie heb ik dan nog? Ellen en Bo. Zal dat genoeg zijn? In het jaar dat ik mezelf in razend tempo naar de rand van de afgrond dronk, ja, toen waren ze mij genoeg – genoeg in ieder geval om me vlak voor de afgrond op mijn schreden te doen terugkeren.

Mijn drinken was begonnen toen ik na twee maanden van hard werken en verdringing eindelijk de dood van Monika onder ogen zag. Eerst dronk ik vooral in het café, vaak met Dees, vaak met Bo, soms helemaal alleen. Toen begon ik ook thuis te drinken. Whisky vooral en rode wijn. Binnen enkele maanden leidde ik een bestaan dat ik nooit zou heb-ben overleefd als Ellen er niet was geweest. Zij was het die mij redde. Zij en Bo. Er waren nachten dat ik met Bo tot vier uur in de kroeg zat en vervolgens nog uren door de stad zwierf, terwijl hij op mijn rug in slaap viel. Ik maakte ruzie met andere dronkaards en zwervers, en het was alleen aan de aanwezigheid van de peuter op mijn rug te danken dat het nooit echt tot gewelddadigheden kwam.

Op een vroege zomerochtend zaten Bo en ik op een bank-je in het Sarphatipark. Ik had weer eens de hele nacht doorge-haald en Bo was net wakker geworden. We keken naar de eenden in de vijver en Bo vroeg waarom eenden snateren en meerkoeten piepen.

Ik had geen idee.

Toen vroeg hij waarom meerkoeten zo raar met hun kop heen en weer gaan als ze zwemmen en eenden niet. En weer had ik geen flauw benul. Hij bleef een tijdje stil. Twee mannetjeseenden joegen een vrouwtje de vijver door.

'Waarom doen ze dat?' vroeg Bo. En gelukkig wist ik dit keer het antwoord wel. 'Omdat die mannetjes,' zei ik, 'zich stierlijk vervelen. En dat komt weer doordat ze zoveel te eten krijgen van de mensen die in het park de eenden komen voeren. Normaal gesproken zijn eenden een groot deel van de dag bezig met het zoeken naar voedsel. Maar stadseenden hebben het gemakkelijk: die hoeven niet te zoeken, die krijgen het zo toegeworpen van aardige mensen zoals jij en ik. Dus houden ze heel veel tijd over voor andere dingen. Alleen het probleem is: eenden hebben niet zoveel fantasie. Ze weten dus niet wat ze aan moeten met al die vrije tijd. Het enige dat ze kunnen verzinnen is achter de vrouwtjes aangaan. En dat doen ze dan ook. Soms wordt een vrouwtjeseend zo verschrikkelijk opgejaagd door de mannetjes dat ze uiteindelijk verdrinkt.'

Dat vond Bo toch wel erg.

'We mogen ze niet meer voeren,' zei hij.

'Misschien is dat inderdaad maar beter.'

'En de meeuwen?' vroeg hij toen. 'Doen die dat ook?'

'Nee, die doen dat niet.'

'Gelukkig,' zei Bo.

Op dat moment zag ik Ellen het park in komen lopen. Ik had haar sinds de dag van Monika's begrafenis, ruim acht maanden geleden, niet meer gezien. Ze had me twee keer gebeld, maar ik was kortaf geweest en had gezegd dat ik haar nog wel zou bellen als ik me weer wat beter voelde. Maar de maanden gingen voorbij en ik belde niet. Ik voelde me trouwens ook niet beter.

Ze droeg een joggingbroek, maar ze jogde niet.

'Laten we gaan,' zei ik tegen Bo.

Ik wist niet of ze ons al in de gaten had gehad, maar ik wist wel zeker dat ze niet had gezien dat ik *haar* had gezien. Het kon dus gewoon toeval zijn dat ik nu snel bij haar vandaan liep. Bo en ik verlieten het park en staken de Ceintuurbaan over naar huis. Bij de voordeur keek ik nog even achterom. Ellen was nergens te bekennen. Maar we waren nog maar nauwelijks binnen of er werd gebeld.

Ik aarzelde lang of ik open zou doen, maar ik vermoedde dat ze me toch had gezien, en dan was het wel heel onbeschoft om niet open te doen. En bovendien: welke reden kon ik hebben om haar te ontlopen? Ik wist het zelf niet. Of wilde het niet weten.

Ik deed open. Ze stond beneden aan de trap. 'Hoi, ik ben het. Mag ik bovenkomen?'

'Liever niet. Het is hier een puinhoop.' Dat was waar. Het wás een puinhoop.

'Ik wil je spreken. Wil weten hoe het met je is. En met Bo.'

'Ja. Goed. Of gaat wel. Dank je.'

Ze bleef besluiteloos staan. Een trambel rinkelde.

'Ik was in de buurt.'

'Weet je wat,' zei ik. 'Ken je dat chauffeurscafé, een stukje verderop aan de Ceintuurbaan? Er staan om dit uur altijd wel een paar taxi's voor de deur. Je ziet het vanzelf. Laten we daar afspreken. Over een kwartier, twintig minuten.'

'Dat is goed,' zei ze.

Maar een kwartier later, toen ik me had geschoren en mijn haar had gekamd en schone kleren had aangedaan, en toen ik probeerde om ook Bo in wat schone kleren te hijsen, toen wierp hij zich krijsend op de bank. Hij schopte en sloeg naar me en gilde: 'Ik wil niet, ik wil niet, ik wil niet!' En hoe ik hem ook probeerde te kalmeren, er viel niets met hem te beginnen. De vermoeienissen van de nacht eisten hun tol. Ik was kwaad en wanhopig en verdrietig en ik schaamde me voor mijn onmacht en dus liep ik naar de keuken en schonk een glas whisky in en ging op een stoel bij het raam zitten en dronk en wachtte en dronk.

Toen de telefoon ging nam ik niet op. En toen er twintig minuten later voor de tweede keer die ochtend aan de deur werd gebeld deed ik niet open. Bo was inmiddels in slaap gevallen op de bank en niet veel later viel ik ook zelf in slaap. Toen ik laat in de middag wakker werd, zat Bo met mijn whiskyglas aan zijn mond. Heel voorzichtig nam hij een slokje. En meteen begon hij verschrikkelijk te hoesten.

Ik tilde hem op en drukte hem tegen mijn borst en ik troostte hem en beloofde hem dat ik mijn leven zou beteren en dat ik die vieze drank het huis uit zou doen en dat we niet meer hele nachten in de kroeg zouden gaan zitten en dat we weer gewoon de eendjes zouden gaan voeren in het park, maar dat wilde hij niet, en toen pas, heel langzaam, begonnen de herinneringen aan die ochtend terug te keren en ik pakte de telefoon en belde Ellen. Maar Ellen was niet thuis.

De kist zakt langzaam omlaag naar een ruimte onder de aula. Dan sluit de vloer zich weer. En dat is dat. Ik huil zonder ophouden, zonder geluid, zonder tranen. Ik schud handen.

'Gecondoleerd.'

'Dank u wel.'

'Gecondoleerd.'

'U ook.'

'Gecondoleerd.'

'Gecondoleerd.'

'Gecondoleerd.'

Van alle klotewoorden uit de Nederlandse taal is er niet één zo klote als 'gecondoleerd'.

Tweeëndertig

Op het dek, uit de wind en in de zon, is het zo warm dat we onze jassen uit kunnen doen. We hebben de auto aan de wal gelaten. Onze rugzakken staan tussen ons in op de hardhouten bank. Een donkerbruine rookpluim drijft over onze hoofden in de richting van het vasteland. Meeuwen zweven op bewegingloze vleugels met ons mee. Een kind krijgt van zijn moeder een stuk brood en houdt het met uitgestrekte arm aan de vogels voor. Een kolossale zilvermeeuw zwenkt dichterbij. Op decimeters van de kinderhand blijft hij hangen. Moeiteloos. Met zijn kille oog schat hij de situatie in. Dan slaat hij bliksemsnel toe. Onmiddellijk zetten een paar andere meeuwen luid roepend de achtervolging in.

Het kind begint te huilen.

Bo lacht en kijkt heel even mijn kant op. Onze blikken kruisen. Meer is niet nodig.

In de haven van Nes drijven eidereenden, de jonge mannetjes half in wit prachtkleed, half in het sombere bruin van hun vrouwelijke soortgenoten, alsof ze zich vanochtend in haast hebben aangekleed. We nemen de bus naar Hollum, waar we een huisje hebben gehuurd, of eigenlijk: een deel van een huis, het oude voorhuis van een verbouwd boerderijtje. Er zijn twee kleine slaapkamers, de een net groot genoeg voor een tweepersoonsbed, de ander een eenpersoonskamer met een raam dat uitzicht biedt op een stenen muurtje. Bo neemt als vanzelfsprekend de kleinste kamer.

'Wil je niet eens in een lekker groot bed slapen?' vraag ik.

Hij aarzelt even.

'Jawel,' zegt hij dan. En hij pakt zijn rugzak weer op en werpt hem met een sierlijke boog op het tweepersoonsbed in de kamer aan de andere kant van het smalle gangetje. De tas stuitert op en Bo laat zich er ruggelings naast vallen.

'Niet gek,' zegt hij.

Ik zet mijn tas in de lege linnenkast die tussen het bed en de muur in het kleine kamertje is geperst en test mijn eigen, smalle bed.

'Lekker hard,' roep ik naar Bo.

Hij komt in de deuropening staan, een brede grijns op z'n gezicht.

'Wat?' vraag ik.

'Dit bevalt me wel.'

Ik gooi hem een kussen naar zijn hoofd. Hij duikt weg.

'Koffie?' roept hij vanuit de keuken.

De eilanden zijn, buiten Amsterdam, de enige plaatsen in Nederland waar ik echt gelukkig kan zijn. De zee, de wind, de ruimte, en vooral: de onveranderlijkheid. Vanuit de bus heb ik niet één gebouw gezien dat er niet ook al stond toen ik hier de laatste keer met Monika was, ruim tien jaar geleden. Er is een nieuw fietspad aangelegd, of misschien is het alleen maar opnieuw geasfalteerd, dat is de enige zichtbare vooruitgang. Ik heb een hekel aan 'de vooruitgang' – het is een versleten excuus voor lelijkheid. 'Je bent nog conservatiever dan je oude vader,' zegt Ellen altijd, en ze heeft gelijk. Mijn vader kon lyrisch worden van een ambachtelijk gemaakte Louis Seize-stoel, maar voor de inrichting van zijn eigen keuken gaf hij de voorkeur aan plastic klapstoeltjes van Ikea. 'Makkelijk op te bergen, en makkelijk schoon te houden.' Ik heb niets tegen Ikea, maar waarom moeten hun winkels zo nodig knalblauw en hardgeel staan te vloeken in het groene Hollandse land? We weten toch ook zonder die kleuren wel dat het bedrijf uit Zweden komt? En trouwens: worden de meubels, de tapijten en de dekbedden die binnen in zulke onvoorstelbare hoeveelheden over de toonbank gaan, niet vooral vervaardigd door onderbetaalde arbeiders in tropische lagelonenlanden? Maar mijn vader vond dat je het leed van de wereld niet op je schouders moest nemen en dat je het leven eenvoudig moest houden. Vechten tegen de vooruitgang, zei hij, is even zinloos als klagen over het weer. Hij had gelijk. Maar toch. Doodgaan is ook een vorm van vooruitgang, en vechten tegen de dood heeft uiteindelijk even weinig zin als klagen over het weer, maar moeten we de dood daarom met vreugde omarmen? Volgende week zal ik zijn huis moeten ontruimen. De plastic stoeltjes van Ikea, het bed waarop hij met mijn moeder sliep, de stoel waarop hij is gestorven. Dat hij er niet zal zijn om me te vertellen hoe ik moet tillen en hoe ik de boekenkast uit elkaar moet schroeven en welke kleren weg mogen en welke beslist niet – is dat vooruitgang?

We drinken onze koffie, die Bo heeft gezet met het lelijke wit-met-grijze koffiezetapparaat dat op het al even lelijke kunststof aanrecht staat, uit Oud-Hollandse kopjes met Oud-Hollandse voorstellingen van kerktorens en ophaalbruggetjes, en we eten er spritsen bij die ik had meegenomen voor onderweg, maar waar we in de voorjaarszon op het kalme water van de Waddenzee niet aan toe waren gekomen, druk als we waren met het observeren van de luchtacrobatiek van de meeuwen.

'Wat gaan we het eerst doen,' vraag ik aan Bo als we onze koffie op hebben, 'het strand op of naar het wad?'

'Is het laag water?' wil hij op zijn beurt weten.

Goede vraag. Ook daarom houd ik van de eilanden: op de eilanden is de natuur nog belangrijk. Of het eb is of vloed. Of de wind het water tegen de dijk doet beuken of juist tegen de duinen. Of de maan het mogelijk maakt om 's nachts naar uilen te gaan zoeken. Of de kieviten al broeden. Of de rotganzen al terug zijn of juist zijn vertrokken naar hun broedplaats in het westen van Siberië.

We besluiten naar het wad te gaan. We zien wel hoe het water staat. (Toen we aankwamen met de boot, stond het water laag, maar was het *al* laag of *nog* laag – domme stadsmensen ontgaat dat soort details.) Ik neem mijn kijker mee en Bo de oude koektrommel die hij gebruikt om de curiositeiten in op te bergen die hij bij elke wandeling weet te vinden tussen het lange gras, onder dichte struiken, in spleten en kieren tussen bakstenen of basaltblokken.

Als we op onze laarzen de waddendijk op lopen, tussen de schapen en de krijsende kieviten door (ze broeden al), bedenk ik hoe eenvoudig het hier is om alles te vergeten waar je in de stad door wordt geplaagd. Waar niets verandert behalve het weer en de getijden, is het gemakkelijk om terug te stappen in de tijd. (Zou dat dan de enige reden zijn van mijn afkeer van vooruitgang – dat ik terug wil kunnen stappen in het verleden? Ik durf de vraag niet te beantwoorden.)

We hebben geluk, het wad is leeg en droog.

We staan naast elkaar op de dijk en kijken naar de wereld die aan onze voeten ligt. Boven een bibberende streep van wit licht hangt aan de horizon de Friese kust.

'Hoe ver is dat hemelsbreed?' vraagt Bo.

'Een kilometer of tien.'

'Acht meter verval.'

'Om en nabij.'

'Een luchtspiegeling.'

'Precies.' En we lachen en lopen de dijk af en stappen de dikke, vettige modder in. Twee scholeksters vliegen luid protesterend op.

We lopen een tijdje zonder iets te zeggen in de richting van het Friese land. Ik zoek naar woorden die de geur van het wad kunnen beschrijven, maar vind ze niet. Dan zegt Bo: 'Wat ik niet snap, is waarom je in de polder geen halve kerktorens ziet. Of halve hoogspanningsmasten.'

'Wat?'

'Ik bedoel: als een zeilschip van de kust wegvaart zie je

toch hoe het langzaam achter de horizon verdwijnt, totdat je alleen nog het topje van de mast ziet – tenminste, dat zeggen ze. Maar waarom zou dat alleen op zee zo zijn? Dat moet toch ook op het land gelden? In Flevoland kun je makkelijk tot de horizon kijken, maar ik heb er nog nooit een halve elektriciteitsmast bovenuit zien steken. Hoe kan dat?'

Ik kijk hem stomverbaasd aan. Daar heb ik nog nooit aan gedacht!

'Dat lijkt me een uitstekende vraag voor je aardrijkskundeleraar.'

We lopen verder over de bruine moddervlakte tot we bij een geul komen waar onzichtbare vissen V-sporen trekken in het ondiepe water.

'Wat denk je?'

'Harder.'

'Dat denk ik ook.'

We hebben ze weleens gevangen, Bo en ik, de snelle ronde vissen. Met een geleende vliegenhengel waaraan een groene kunstvlieg was bevestigd die voor een pluk rondzwevende algen moest doorgaan. Ze vochten spectaculair, sprongen uit het water, trokken indrukwekkende sprintjes. En ze smaakten nog lekker ook.

We kijken enige tijd verlangend naar de bewegingen vlak onder het wateroppervlak, totdat plotseling de stilte om ons heen wordt verstoord door gejoel. Uit het westen naderen tegen de bleke lentelucht vijf silhouetten. De wind voert flarden mee van opgewonden gesprekken. Een schelle meisjeslach. Een jongensstem die 'lafaard' roept of 'bastaard'. Alsof we betrapt zijn, zetten Bo en ik ons gelijktijdig in beweging. De geul buigt af in de richting van de vijf jongeren. Drie meisjes. Twee jongens.

'Hallo,' zegt een van de jongens, als we vlakbij zijn. 'Hebben jullie hier zeehonden gezien?'

'Nee,' antwoord ik.

'Maar ze zitten hier wel, toch?' vraagt een van de meisjes.

'Soms wel,' zegt Bo.

'Zie je wel,' zegt het meisje. 'Jij weet gewoon niks van natuur!' En ze lacht naar Bo en zegt: 'Die zwartwitte vogels met oranje snavels, dat zijn toch scholeksters?'

'Klopt,' zegt Bo.

'Zie je nou wel? Dank je wel.'

En verder gaan ze, de jongens nu iets stiller, de meisjes nog iets luider.

Bo blijft staan en wroet met de punt van zijn laars in de modder. Ik loop nog een paar passen verder, draai me dan naar hem om en wacht. Ik zie dat het meisje dat hem zojuist naar de scholeksters vroeg nog even omkijkt. Ze draagt een zwart baseballpetje en haar ogen blikkeren in de halfschaduw van de zonneklep.

'Je had sjans,' zeg ik.

Maar Bo zegt niets. Hij haalt iets glimmends uit de modder te voorschijn en stopt het in zijn trommel.

Drieëndertig

Ellen draait zich op haar zij en trekt het dekbed op tot boven haar blote borsten. De geur van seks hangt om ons heen als een geruststelling. Haar voeten strelen de mijne. Voor het eerst in weken is de glazen muur verdwenen die ons scheidde sinds we de uitslag van het onderzoek hoorden. Voor het eerst heb ik toen ik klaarkwam niet gedacht: Hoe zinloos!

Ik weet niet of het ooit is onderzocht (vast wel), maar mensen die naar een begrafenis zijn geweest hebben volgens mij een veel grotere behoefte aan seks dan normaal. De dood als afrodisiacum. Seks als lange neus naar magere Hein: kijk ons eens het leven vieren, ons krijg je niet klein!

'Waar denk je aan?' vraagt Ellen.

'Aan die andere keer na een andere begrafenis.'

'Heb je daar nog steeds spijt van?'

'Nee… Nee, spijt niet. Maar.'

'Maar wat?'

'Net als toen waren we ook nu niet met z'n tweeën.'

'Maar met z'n drieën.'

'Ja.'

'Moest jij ook aan haar denken?'

'Ja.'

We zwijgen beiden. Haar hand streelt mijn zij, mijn borst. Ik sluit mijn ogen en denk aan Monika. Tien jaar – en nog altijd niet dood en begraven. Ik voel hoe een traan over mijn wang loopt, even aan mijn kin blijft hangen, alsof hij aarzelt, en dan op mijn borst drupt. Ellen kust mijn voorhoofd, mijn ogen, mijn neus, mijn wangen, mijn mond. Ik trek haar tegen me aan.

'Huil maar,' zegt ze. 'Huil maar.'

En ik duw mijn gezicht in haar haar. Ik kus haar hals. Ik kus mijn eigen tranen van haar borst. Ik leg mijn hoofd op haar buik, die vochtig is en plakkerig.

'Lieve Armin, lieve, arme Armin.'

'Kus me, kus me.'

En ze kust me en ze streelt me. Ze omklemt me. Ze knijpt me. En dan breekt haar hart. Dan breken de dijken waarachter ze haar verdriet al wekenlang verbergt. Ik voel hoe haar lichaam schokt onder het geweld van de stroom van emoties. Ik houd haar vast. Ik streel haar haar, haar rug, ik druk haar tegen me aan met alle kracht die in me is.

'Huil maar,' zeg ik. 'Huil maar.'

En ze huilt en huilt en huilt en dit keer kan ik haar wél troosten. Dat heb ik in die tien jaar tijd dan in ieder geval bereikt: dat ik haar niet van me af trap, als een in het nauw gedreven dier.

Ze zat op de rand van het bed. Naakt en bezweet en verschrikt.

'Weg!' schreeuwde ik. 'Weg! Weg! Weg! Godverdomme, wat doe je hier!?' Ik pakte haar kleren van de grond en smeet ze in haar gezicht.

'Aankleden!'

Zelf schoot ik in mijn spijkerbroek, trok een trui over mijn hoofd. Als verdoofd bleef ze op de bedrand zitten.

'Aankleden!' schreeuwde ik nogmaals. En ik pakte haar ruw bij haar schouders en trok haar overeind. En zij ontwaakte uit haar shocktoestand en duwde mij met zachte drang opzij en kleedde zich aan. Kalm en efficiënt.

'Het spijt me,' zei ze toen ze bij de deur stond en ze draaide zich om en vertrok. Ik rukte de lakens van het bed en propte ze in de wasmachine. In de gang vond ik een oorbel die tussen het beddengoed vandaan gevallen moest zijn en ik raapte hem op en ik liep terug naar de slaapkamer en opende het raam en smeet de oorbel naar buiten. Toen kleedde ik me weer uit en stapte onder de douche en ik boende mezelf met zeep en water dat zo heet was dat ik het nauwelijks kon verdragen. Heel langzaam was ik toen weer tot rust gekomen, en nadat ik me had afgedroogd, trok ik Monika's badjas aan en ging op de bank zitten en belde mijn moeder en vroeg: 'Hoe is het met Bo?'

'Hij slaapt. Hoe is het met jou?'

'Goed. Slecht.'

'Weet je zeker dat je niet hier wilt komen slapen?'

'Ja, ik weet het zeker.'

Maar naar de slaapkamer durfde ik die nacht niet meer te gaan. Ik bleef op de bank zitten en begroef mijn gezicht in de badstof plooien waarin nog de geur hing van Monika, die we die middag hadden begraven.

Tien bossen witte rozen had ik gekocht op de Albert Cuypmarkt. En samen met Bo had ik de knoppen van de stelen geknipt en in een plastic emmertje gedaan waarmee Bo speelde overal waar er maar zand was.

'Die bloemen zijn voor mama.'

'Wanneer mag ik ze geven?'

'Morgen. Morgenochtend.'

En die ochtend, aan de rand van het pas gedolven graf waarin de kraaien zojuist de kist hadden laten zakken, zei ik tegen Bo: 'Zullen we nu de bloemen geven?'

'Dat is goed.'

En Bo had met zijn kleine kinderhand een greep gedaan in het emmertje en toen de eerste rozenknoppen met een zachte klop op de kist belandden, hoorde ik hoe Monika's moeder achter ons in huilen uitbarstte, maar daar trokken wij ons niets van aan, en we gingen net zo lang door met het gooien van bloemen tot de emmer leeg was en daarna deed Bo een stap naar voren en zei: 'Dag mama.' En ik nam hem bij de hand en samen liepen we terug naar de aula, naar de koffie en de cake, en de condoleances. Monika's ouders lieten zich condoleren maar condoleerden zelf niemand. Alleen Bo tilden ze beiden even op. Ze drukten hem bijna plat. Daarna vertrokken ze zonder gedag te zeggen.

Toen alles voorbij was, zei mijn moeder: 'Kom met ons mee.' En ik zei: 'Als ik nu niet naar huis ga, ga ik nooit meer. Maar misschien kan Bo bij jullie slapen vannacht, zodat ik me om hem geen zorgen hoef te maken.'

En dus ging Bo mee met mijn ouders. Hij knikte heel begripvol toen ik zei dat opa en oma Minderhout nu even beter voor hem konden zorgen dan ik. Ik liet bellen voor een taxi. En Ellen, die was meegereden met een collega van De Kleine Wereld, zei: 'Ik bel je vanavond nog wel even.' Maar in plaats van te bellen stond ze een paar uur later bij me op de stoep.

'Ik werd gek thuis. Maar als je liever alleen bent, moet je het ook zeggen.'

'Ik ben blij dat je er bent,' antwoordde ik en dat was ook zo, want het huis was zonder Bo en zonder Monika opeens een vijand gebleken, een plek waar uit elke hoek herinneringen op mij werden afgeschoten als in gif gedoopte pijlen.

We hadden samen gekookt, samen gegeten, samen een fles wijn opengetrokken, samen naar de televisie gestaard zonder iets te zien, samen aan Monika gedacht zonder iets te zeggen.

'Mag ik hier blijven slapen?' vroeg Ellen.

'Ja, dat mag.'

En we waren in bed gekropen en Ellen had zich aan mij vastgeklampt en ik had haar op haar rug gedraaid en was boven op haar gaan liggen en zij had haar benen gespreid en haar bekken tegen het mijne gedrukt en ik sloot mijn ogen en dacht Monika, Monika, Monika en zij zette haar nagels in mijn rug en beet me in mijn schouder en ik sidderde van de pijn en het genot en de woede en het verdriet en mijn handen gleden onder haar billen en ik drong bij haar naar binnen en zij huiverde en kreunde en omklemde mij zoals een drenkeling zijn redder en toen ze klaarkwam vloeide alle kracht uit haar lichaam en begon ze te huilen en ik richtte mij op en keek naar haar betraande gezicht en een radeloze, redeloze woede maakte zich van mij meester en ik trok mij uit haar terug en sprong uit bed en zij kwam geschrokken overeind, naakt en rillend en nog nasnikkend, en ik schreeuwde en schreeuwde en schreeuwde.

Post mortem-seks is een gecompliceerde vorm van sadomasochisme.

'Je moet niet meer weglopen als we ruzie hebben,' zegt Ellen als ze is uitgehuild.

'Nee,' zeg ik. 'Het spijt me.'

'Ik was zo bang dat je me het huis uit zou gooien.'

'Ik jou? Waarom zou ik dat doen?'

'Om me voor te zijn. Omdat je bang bent dat ik je ga verlaten, omdat je me geen kind kunt geven.'

Ik zak terug op mijn kussen.

'Heb ik gelijk?'

Ik zucht en knik. 'Misschien moet je iemand zoeken om je zwanger te maken.'

'Doe niet zo idioot.'

'Ik ben er heel goed in, hoor, andermans kind opvoeden bedoel ik.'

Ze lacht, maar niet van harte.

'Arme Armin.'

Ik kijk naar haar. Ze ziet er vermoeid uit. Verdrietig ook. Vierendertig is ze nu. Ze zou een goeie moeder zijn. Ze is een goeie moeder. Voor Bo. Maar Bo is niet haar kind. Ik zeg: 'Jij kunt er trouwens ook wat van.'

'Waarvan?'

'Andermans kind opvoeden.'

'Gek dat ik dat niet eerder heb bedacht.'

'Wat?'

'Dat we daarin nu gelijkwaardig zijn geworden. Dat we samen het kind van iemand anders opvoeden.'

'Haar kind.'

'Ja, haar kind.'

185

Vierendertig

Bo heeft gekookt. Aardappelen met broccoli en vissticks. Ik heb de sla gemaakt en witte wijn ingeschonken. We zitten aan de eettafel bij het raam. Buiten valt langzaam de avond. Een boer op zijn fiets komt voorbij en steekt een hand naar ons op. Eilandleven.

We toosten. 'Op het eilandleven,' zeg ik.

'Weet je nog,' zegt Bo, 'die keer dat we met ons drieën zijn wezen vissen, opa, jij en ik?'

Ik weet het nog.

'Hij kon er niet veel van, opa.'

'Hij kon er niks van.'

'Nee. Maar hij ving wel de grootste brasem van de dag.'

'Beginnersgeluk.'

'Ja, beginnersgeluk.'

Het moet een jaar of acht geleden zijn geweest. Rond de tijd dat Ellen bij ons introk. Bo en ik waren echt aan het vissen verslaafd geraakt (wat na de drank een hele vooruitgang voor me was). Er ging bijna geen weekend voorbij of we trokken er samen op uit. Onder het vissen leerde ik Bo het verschil tussen de zang van de grote en de kleine karekiet, het onderscheid tussen de blauwe en de grauwe kiekendief. Ik vertelde hem over de koekoek, die zijn ei laat uitbroeden door een ander. En over de inwoners van Borneo die geloven dat je de toekomst kunt voorspellen uit de vlucht van de vogels. Ik vertelde hem over de grote mysteriën van de vroegste beschaving.

'Zesduizend jaar geleden,' zei ik, 'bouwden leden van een

neolithische stam in het zuidwesten van Engeland een reus-achtige rekenmachine die vandaag de dag bekendstaat als het monument van Stonehenge. Volgens de officiële archeolo-gische lezing is het een tempel waar offers werden gebracht aan de natuurgoden van die tijd. Maar Stonehenge is veel meer dan dat. Het is ook een zonnewijzer en een maanwij-zer. Het is een wiskundig model voor het universum zoals wij dat vanaf de aarde kunnen waarnemen. Uit nauwkeuri-ge metingen is gebleken dat de bouwers van Stonehenge be-kend waren met de wonderbaarlijke eigenschappen van rechthoekige driehoeken en dat zij het heilige getal pi ken-den. Ze moeten in staat zijn geweest om maansverduiste-ringen en zonnewendes te voorspellen, en zonsverduisterin-gen en de beweging van de getijden onder invloed van de maan. Er is alleen één probleempje: volgens de geschied-schrijving van de westerse beschaving konden die barbaren uit de steentijd dat soort dingen helemaal niet weten. En dus worden de vele wonderbaarlijke ontdekkingen die over Stonehenge zijn gedaan uit de officiële leerboeken gehou-den.'

'Gaan we daar een keer naar toe, naar Stonehenge?' vroeg Bo.

En ik zei ja, en ik heb me kort geleden nog eens voorge-nomen om die belofte nu eindelijk in te lossen.

Dat soort dingen vertelde ik Bo terwijl we naar onze dob-bers staarden. En nog veel meer. Ik vertelde hem over de waanzin van de wapenwedloop en over de godslastering van christen-democratische politici die via slimme belastingtrucs hun miljoenenvermogen buiten de handen van de fiscus hiel-den, en over de arrogantie van de bestuurders van oliemul-tinationals die net zo gemakkelijk handel dreven met het apartheidsregime in Zuid-Afrika als hun milieuvervuilingen goedpraatten. En over zijn moeder vertelde ik hem. Over het wit van haar huid en het rood van haar haar. Over haar boosheid toen ze de artikelen las die ik redigeerde voor de uitgeverij, waarin proefdieren werden gemarteld en gedood ten behoeve van de wetenschap. En Bo vroeg: 'Waarom doen ze dat dan, die dieren martelen?'

En ik zei: 'Om medicijnen te kunnen testen, bijvoorbeeld. Medicijnen die mensen het leven kunnen redden.'

En Bo zei: 'Maar niet háár leven.'

'Nee, haar leven niet.'

Op een dag zei mijn vader: 'Ik wil weleens mee, als jullie gaan vissen. Ik wil nou weleens ontdekken wat daar toch de lol van is.'

Mijn vader had nooit begrepen dat ik van vissen hield. (Eigenlijk had mijn vader gewoon nooit veel begrepen van mij. Tot ik op een dag met Monika thuiskwam.)

'Dat je je niet dood verveelt, zo aan het water,' zei hij altijd.

'Dat je het niet koud krijgt.'

'Dat je je niet geneert om met zo'n hengel over straat te gaan.'

'Dat je niet snapt dat je nooit een leuk meisje zult vinden zolang je er zo'n ouwelullenhobby op na houdt.'

'En dan ook nog dat vogelen van jou. God mag weten van wie je die rare afwijkingen hebt, maar in ieder geval niet van mij.'

Dat ik Monika wist te strikken bleef voor mijn vader een onopgelost raadsel, maar het deed mij ontegenzeglijk in zijn achting stijgen. En toen ik haar zwanger maakte – afijn, dat vertelde ik al. Zoals ik ook al vertelde dat alles weer terug veranderde toen Monika stierf. Alsof Monika een bril was geweest die mijn vader nodig had om zijn eigen zoon voor vol te kunnen aanzien. Dat ik een paar jaar na haar dood ook weer ging vissen, dat maakte het alleen maar erger. Ik was weer die rare zoon geworden die maar niet wilde slagen in het leven. Ik was weer het kind van mijn moeder.

Het was echt iets voor mijn vader om die dag de grootste vis te vangen. Zoals het echt iets voor mijn vader was om Bo die hele dag te imponeren met hilarische verhalen over de bouw en over ondoorgrondelijke gemeentepolitiek en over gekonkel van wethouders en over omkoperijen en drankgelagen.

'Weet je nog dat hij vertelde van de Fiod,' zegt Bo.

Ik weet het nog.

'Wat heb ik toen gelachen.'

Het was een verhaal dat mijn vader later nog vele malen zou vertellen, op verjaardagen en onder het kerstdiner. Het was een verhaal dat eindigde met een dronken opsporings-ambtenaar die zijn dossier liet liggen in een louche nacht-club en die de volgende dag heel bedeesd mijn vader belde en vroeg of die het dossier misschien had gezien. Maar mijn vader hield zich van den domme, en van de zaak van de Nederlandse Staat versus de Firma Minderhout kwam nooit meer iets terecht.

'Waarom kon jij niet met hem opschieten?' vraagt Bo opeens.

'Ik kon wel met hem opschieten.'

'Welnee. Niet zoals ik met jou.'

'Nee, zo niet nee. Hij was…' Ik probeer de juiste woorden te vinden. 'Toen ik nog een kind was gaf hij me altijd het gevoel dat ik veel minder was dan hij. Dat ik nooit zou kunnen wat hij allemaal kon. En dat was ook zo. Hij was een alleskunner.'

'Hij kon niet vissen.'

'Nee, maar hij ving dus wel de grootste vis. Echt iets voor hem.'

'Hij was niet erg dapper.'

'Hoe bedoel je dat?'

'Hij had wel altijd een grote mond, maar eigenlijk was hij heel bang. Bang voor veranderingen.'

Ik kijk naar hem, zoals hij daar tegenover me zit. Net veertien geworden. Voorzichtig drinkend van zijn wijn.

'Waaraan merkte je dat dan?'

Hij haalt zijn schouders op. 'Aan alles. Toen oma dood-ging bleef er ook weinig van hem over.'

Zo. De kleinzoon heeft gesproken. (De kleinzoon?) Ik schiet in de lach.

'Wat?' vraagt hij.

'Niks.'

'Waarom lach je dan?'

'Omdat je gelijk hebt. Omdat je dingen zegt die ik zelf nooit zo zou durven zeggen.'

'Omdat hij je vader is,' zegt Bo, begripvol.

'Was.'

'Ja, was natuurlijk.'

Vijfendertig

Ik heb Ellen nog heel lang op afstand gehouden. (Ik ben ook nog heel lang blijven drinken.) Een paar dagen nadat ze vergeefs bij ons aan de deur was geweest en ik vergeefs had geprobeerd haar 's avonds nog te bellen, kreeg ik haar alsnog aan de lijn. Ik verontschuldigde me voor mijn asociale gedrag en ze zei: 'Het geeft niet,' en nodigde ons uit om bij haar te komen eten. We gingen en we praatten en we lachten en we dronken met mate. En Bo en ik gingen bijtijds weer naar huis, en bij het afscheid kusten we elkaar op de wangen.

Er gingen weken voorbij dat we elkaar niet zagen of spraken, maar dan opeens stond ze weer voor de deur en ik liet haar binnen en dan praatten we weer en lachten we weer en dronken met mate en altijd namen we op gepaste wijze afscheid: als vrienden. Soms nam ze Bo mee naar het park, of naar Artis. Soms ging Bo bij haar logeren. (Ik had een vrouw ontmoet in een discotheek. Ik was niet verliefd op haar, maar zij wel op mij, en daar maakte ik gebruik van door met haar te slapen als ik daar zin in had – wat uiteindelijk te weinig gebeurde om haar tevreden te houden, zodat zij er een einde aan maakte. Wat me veel treuriger stemde dan ik aan mezelf wilde toegeven.)

Ook Ellen had een tijdlang een verhouding met een andere man. Ik zei haar dat ik blij voor haar was en dat ze alle liefde van de wereld verdiende. Maar toen hij het uitmaakte en ze daar niet al te veel onder leek te lijden, was ik toch opgelucht. En de volgende keer dat Bo en ik bij haar langs gingen nam ik een fles champagne voor haar mee om de herwonnen vrijheid te vieren.

De tijd verstreek en mijn leven kreeg weer zijn normale loop. Ik begon minder te drinken en Bo ging steeds langer naar school en maakte vriendjes en vriendinnetjes bij wie hij ging spelen en soms bleef logeren. Ik redigeerde weer teksten over het effect van oxalaat op de gluconeogenese bij geïsoleerde kippenhepatocyten, en meer van dat soort fraais. Met Dees verheugde ik me over de uitkomsten van onderzoek naar de moleculaire gelijkenis tussen zulke uiteenlopende diersoorten als de fruitvlieg, de karper, het varken en de mens.

'Waar het om gaat,' legde Dees me uit, 'is de structuur van het eiwit cytochroom C. Dat eiwit komt in vrijwel alle levende organismen voor en de verwachting was dat er een verband zou bestaan tussen de mate waarin dat eiwit van soort tot soort verschilt en de geologische tijd waarin die soorten zijn ontstaan. Twee soorten die relatief dicht bij elkaar staan op de evolutionaire ladder zouden qua eiwitstructuur meer op elkaar moeten lijken dan soorten die evolutionair gesproken verder van elkaar zijn verwijderd. De verschillen worden namelijk veroorzaakt door toevallige mutaties. Dus hoe langer de tijd die is verstreken tussen het ontstaan van twee soorten, hoe meer kans op mutaties, hoe groter de verschillen. Dat was althans de gedachte. Maar zo zit het dus niet. Het cytochroom C van de karper is voor vierenzestig procent gelijk aan het cytochroom C van de bacterie *Rhodospirillum rubrum*. En dat geldt ook voor het varken. En het cytochroom C van de mens én van de fruitvlieg is zelfs voor vijfenzestig procent gelijk aan dat van die bacterie. Dat betekent,' en hier kreeg Dees' stem een triomfantelijke bijklank, 'dat gezien vanuit het gezichtspunt van de bacterie *Rhodospirillum* de mens net zoveel of net zo weinig aan hem verwant is als de fruitvlieg. Toch vervelend voor de evolutietheorie.'

Als tegenwicht voor het werken en het gezinsleven en de stimulerende maar toch ook enigszins vermoeiende gesprekken met Dees, stortte ik me nog twee lange warme zomermaanden in het uitgaansleven. Ik had enkele *one-night-stands* en dacht zelfs nog een tijdje dat ik weer echt verliefd was. (Op een meisje met kort rood haar dat op de politie-academie zat en VVD stemde. 'Dat kan nooit goed gaan!' schaterde Ellen en het ging ook niet goed.) En juist toen ik dacht: Er komt voor mij nooit meer een ander dan Monika, en dat is goed, juist toen gebeurde het natuurlijk toch.

'Jij begon,' zou Ellen later zeggen.

'Niemand begon,' zei ik. 'Zoals altijd.'

Een halfjaar later trok ze bij ons in.

'Vind je het goed als Ellen hier komt wonen?' vroeg ik aan Bo.

Hij vond het goed.

Mijn moeder huilde tranen van vreugde toen ze het hoorde. En ook mijn vader zei dat hij blij voor me was, maar ik merkte aan alles dat hij van Ellen niet zo onder de indruk was als hij destijds van Monika was geweest. En Ellen merkte dat ook. Ze hield in ieder geval altijd een zekere reserve tegenover mijn vader.

'Ik heb gewoon wat moeite met dat soort mannen,' zei ze op een keer verontschuldigend.

'Wat is mijn vader dan voor soort man?' vroeg ik.

'Te zelfverzekerd. Te succesvol. Te... gewoon té. In alles.'

'Ik houd van je,' zei ik. Het was de eerste keer dat ik dat tegen haar zei.

Zesendertig

Zo ziet een zorgeloze voorjaarsdag op een waddeneiland eruit.

7.45 uur. Opstaan. Douchen. Bo wekken.

8.03 uur. Naar de bakker. Eieren bakken. Ontbijttafel dekken met verse broodjes, jus d'orange en sterke koffie.

8.28 uur. Ontbijten.

9.33 uur. Eindelijk klaar met ontbijten. Alle vuile afwas op het aanrecht laten staan.

9.50 uur. Naar de fietsenverhuur. Twee degelijke Hollandse rijwielen uitzoeken.

10.04 uur. Fietsen. Via de weilanden en de waddendijk naar Nes. Buitelende kieviten, hysterische grutto's, een vlucht smienten, twee nijlganzen in een lange, rechte, grauwe sloot. 'Als je nou toch kunt kiezen tussen de Nijl en deze sloot.' 'Als je nou toch kunt kiezen tussen Amsterdam en Ameland.' 'Dan ben ik toch blij dat we in Amsterdam wonen.'

11.28 uur. Koffiestop in Buren. Als we net zitten komen dezelfde vijf jongeren binnenlopen die we een dag eerder op het wad zagen. 'Nog zeehonden gezien vanochtend?' vraagt dezelfde jongen. 'Let maar niet op hem hoor,' zegt hetzelfde meisje – het meisje met het zwarte petje. 'Zitten jullie hier in Buren?' 'Nee, in Hollum.' 'Is dat leuk, Hollum?' 'Ja, dat is leuk.' 'En 's avonds?' 'Ehm... We zijn hier net een dag.'

12.15 uur. We stappen weer eens op. 'Dag,' zegt Bo. 'Doei.' 'Tot ziens,' zegt het meisje met het petje. 'Je hebt sjans,' zeg ik buiten. 'Armin!' zegt Bo met een zucht.

12.43 uur. Lopen over Het Oerd. Zwarte zee-eenden voor de kust. Een ziek konijn, wachtend op een buizerd of een vos. Wachtend op de dood. Bo vindt een meeuwenschedel, schoon en nog helemaal intact. Hij stopt hem in zijn trommel.

13.30 uur. Lunch op een duintop. 'Zullen we dat booreiland opblazen?' 'Goed idee.'

14.07 uur. Terug bij onze fietsen. We zetten koers naar het westen langs de binnenkant van het duin. Late kramsvogels. Hopen op een velduil, maar we zien alleen een buizerd die laag over het weiland wiekend een half geslaagde imitatie weggeeft – half geslaagd omdat ik toch even stop en mijn kijker pak. 'Buizerd,' zeg ik tegen Bo. 'Dacht ik al.' Wijsneus. Maar ik zeg niks.

14.50 uur. Ter hoogte van Ballum nog even naar het strand. Dode kwallen. Drieteenstrandlopers. Bo vindt een rogge-ei, ik vind een rechterschoen. Hoe zat het ook weer? In Engeland worden aan de Noordzeekust meer linkerschoenen gevonden en in Nederland en België juist meer rechterschoenen – of was het nou andersom? Het had in ieder geval iets te maken met de stroming en de specifieke stroomlijning van linker- en rechterschoenen. We houden het erop dat het andersom moet zijn.

15.34 uur. Weer op de fiets. Terug naar 'huis'.

16.09 uur. In het dorp kopen we een fles whisky en een paar flesjes bier. Plus een *Voetbal International* en een *Bild Zeitung*.

16.16 uur. Thuis. Lezen. Met een drankje erbij. 'Feyenoord stelt legioen teleur.' '*Schadenfreude in Bonn*.'

18.30 uur. 'Wat zullen we eten?' Ik schrik wakker. 'Zullen we uit eten gaan?' 'Goed idee.' 'Waar?' 'Hier in het dorp.' 'Tong Picasso.' 'Zoiets. Zeewolf.' 'Harder.' 'Uitstekend.'

19.07 uur. In een plaatselijk restaurant met zeegezichten aan de muur en visnetten aan het plafond. 'Doet u mij maar de tong Picasso.' 'En voor mij de rode poon in zachte mosterdsaus. En een karafje witte wijn graag.'

Zo'n dag. Zo'n dag die je op geen enkele manier voorbereidt op wat komen gaat in de nacht.

Zevenendertig

Als ik maar niet zo dronken was geweest.

Als ik maar niet zo dronken was geweest, had ik me niet in zelfmedelijden verloren.

Als ik maar niet zo dronken was geweest, had ik me gerealiseerd dat hij met zijn ogen dicht sliep.

Als ik maar niet zo dronken was geweest, had ik...

Na het eten en de koffie lopen we het boerenland in, in de richting van het wad. In het westen flitst het vuurtorenlicht. In het oosten kondigt een bleek schijnsel aan dat de maan zo meteen zal opkomen. Zo nu en dan klinkt uit het duister de nerveuze alarmroep van een tureluur, het onderdrukt *kieuwieieieieieiet* van een verstoorde kievit. We lopen langs een weiland vol schapen die ons nastaren alsof ze voor het eerst menselijke gestalten zien. We zeggen niet veel.

Bo zegt: 'Wat een stilte.'

Ik zeg niks.

Bo zegt: 'Wat gaan we doen?'

Ik zeg: 'Een stukje lopen. Koffiedrinken.'

We lopen over het onverlichte asfalt tussen twee sloten die de avondhemel weerspiegelen. De frisse lucht heeft niet het effect op me dat ik ervan had gehoopt. In plaats van opgewekter word ik bij elke stap bedroefder. Misschien komt het doordat in het donker de geruststelling is verdwenen die overdag in dit onveranderlijke landschap besloten ligt. Misschien is het dat in het donker de dood meer werkelijkheid heeft dan het leven. Misschien is het omdat Bo maar niet in

197

hetzelfde ritme wil lopen als ik – iets wat me vroeger nooit gestoord zou hebben, maar nu wel.

We lopen met een kleine omweg terug naar het dorp. De huizen wachten op ons met hun verlichte ramen die tegelijkertijd uitnodigen en buitensluiten. Bij het eerste het beste café gaan we naar binnen en zetten ons aan een tafeltje bij het raam. Er zijn weinig andere gasten.

'Navond.'

'Goeienavond.'

Een jongen met een blozend gezicht en een paar enorme handen neemt onze bestelling op: koffie en een warme chocolademelk met slagroom. Ik neem er een cognacje bij, Bo een glas water. Als de jongen de dampende koppen voor ons neerzet, stapt een groepje jongeren het café binnen. Het zijn de twee jongens en de drie meisjes die we al twee keer eerder zijn tegengekomen. Kennelijk hebben ze besloten om met eigen ogen vast te stellen of Hollum inderdaad zo leuk is als Bo ze vanochtend heeft willen doen geloven. Aan het gezicht van een van de meisjes is duidelijk te zien dat wat haar betreft de conclusie nu al positief is – het is het meisje met het zwarte petje. Als ze langs ons tafeltje schuift, schenkt ze Bo een parelende meisjesglimlach. Zelfs mijn bezwaard gemoed wordt erdoor verlicht. Bo mompelt een nauwelijks verstaanbaar 'hallo' en begint omstandig in zijn warme chocolademelk te roeren.

Ik zeg niets.

Bo zegt: 'Zal Ellen ons nog een beetje missen denk je?' Dat had hij onder het eten ook al gevraagd.

'Die is blij ons even kwijt te zijn. Of mij in ieder geval.' Dat had ik onder het eten ook al geantwoord.

We drinken zwijgend. Het vijftal is schuin achter ons aan de bar gaan zitten. Het meisje met het petje is erin geslaagd zich zo te positioneren dat ze tegelijkertijd met haar vrienden kan praten en Bo in de gaten kan houden. Ik zie haar blikken geregeld naar ons tafeltje dwalen.

Ik zeg niets. Ik denk. Hoe lang zouden er al meisjes verliefd op hem worden? Het is me nog nooit eerder opgevallen en Bo zal zelf de laatste zijn om erover te beginnen – als hij het al in de gaten heeft. O, die verrukkelijke, verschrikkelijke onzekerheid van de puberteit, waarin het meest ondubbelzinnige signaal van een meisje nog niet ondubbelzinnig genoeg is. Waarin elke verlokking tegelijkertijd afschrikwekkend is, omdat je zelfbewustzijn kwetsbaar is als een zandkasteel in de golven. Omdat wat het ene moment nog een aan zekerheid grenzende waarschijnlijkheid lijkt, het volgende moment een absolute onmogelijkheid kan blijken. Omdat je niets weet en niets begrijpt. Of is dat gepraat van een oude man? Zijn de pubers van nu veel wijzer? Ik kijk naar Bo en ik denk: nee, die onzekerheid is van alle tijden. Maar zeker weten doe ik het niet. Wat weet ik tenslotte van hem, behalve dat hij mijn zoon niet is?

'Ik moet naar de wc.'

Hij staat op. Meteen schieten de ogen van het meisje-met-de-pet zijn kant op. Bo kijkt aarzelend rond. Ik kan op haar gezicht precies het moment aflezen waarop hun blikken elkaar kruisen. Weer die lach. (Chimpansees laten elkaar ook hun tanden zien ter geruststelling – dit in tegenstelling tot veel andere dieren waaronder honden. Grijnzen naar een valse hond kan nare gevolgen hebben. Niet grijnzen naar een valse hond trouwens ook. Grijnzen naar een chimpansee kan echter geen kwaad. Glimlachen naar iemand die je begeert is vrijwel altijd een goede eerste stap.) Ik kan niet zien of Bo terug lacht, maar hij schuift dicht langs haar heen op weg naar het toilet. Ik betrap mezelf erop dat ik hem benijd. Dus neem ik gauw een slok van mijn cognac en begin nadrukkelijk uit het raam te kijken, hoewel het zicht mij grotendeels wordt ontnomen door de spiegelingen in het glas.

Bo heeft sjans.

Bo is geen klein kind meer.

Nou ja, ik was hem toch al kwijt.

Belachelijke, kleinzielige gedachte!

Het is leuk voor hem. Ja, het is leuk voor hem. Het is een leuk meisje bovendien.

Wat weet jij daar nou van, ouwe lul?

Nou ja, een leuk meisje is een leuk meisje. Dat is van alle tijden. Dat kan ik heus nog wel zien.

Misschien heeft Bo wel een heel andere smaak.

Is smaak erfelijk of aangeleerd? Dat mannen van grote tieten houden is biologisch bepaald, zeggen de sociobiologen. Van grote tieten en van brede heupen. Is onderzocht. Ik kijk snel even naar de hoek van de bar waar het meisje met het petje zit. Heeft ze grote tieten? Ze zit er niet meer. Belachelijk ook, om me daar mee bezig te houden. Ik houd zelf helemaal niet van grote tieten.

Waar is ze?

Vast ook naar de wc. Is de dames-wc in dezelfde hoek als de heren? Vermoedelijk wel. Van waar ik zit kan ik ze geen van beiden zien. Zou ze hem opwachten? Dat zou ik vroeger nooit gedurfd hebben. Maar ja, de tijden zijn veranderd, toch? Toch? Welnee. Monika deed dat soort dingen vast ook. Dertien was ze, toen ze ontmaagd werd. Dertien! Daar was ik wel even stil van. Het heeft een halfjaar geduurd voor ik haar durfde vertellen dat zij voor mij de eerste was.

Dertien… Ik voelde me een ongelooflijke sukkel. Maar op Monika had mijn onervarenheid, toen ik haar eenmaal in vertrouwen durfde te nemen, een verbazingwekkende uitwerking.

'Echt waar?' vroeg ze.

'Echt waar.'

Ze keek me een tijdje onderzoekend aan. Toen glimlachte ze (die glimlach, die glimlach!) en ze zei: 'Dan ben je een natuurtalent.' Of ze dat meende of dat ze het alleen maar zei om mij een plezier te doen, kon me niets schelen, want nadien neukten we nog vaker dan daarvoor.

'Je hebt nog wat in te halen,' zei Monika.

'Dat je dat allemaal voor mij hebt bewaard!' zei Monika.
'Wat lief,' zei Monika.

En ze leerde me alles over seks wat er te leren viel. En daarna leerde ik haar wat het betekende als seks verbonden was aan echte liefde, want dat, zei ze, had ze nog nooit meegemaakt.

Zo klonken we onszelf aan elkaar vast.

Wat God samenbrengt, zeggen de dominees en de priesters, zal de mens niet scheiden. Maar wat de mens samenbrengt, zeg ik op mijn beurt, dat kan God niet scheiden. Zelfs niet als hij een huurmoordenaar inschakelt. Zelfs niet als... zelfs dan niet? Nee, zelfs dan niet, zeg ik tegen mezelf. En ik bestel nog een glas cognac. In de hoop dat ik het blijf geloven.

Bo is nog steeds niet terug van het toilet.

Achtendertig

Drie herinneringen bewaar ik aan de laatste keer dat ik samen met Monika op Ameland was. De eerste is verbonden aan de foto op het strand – 'Armin is gek'. De tweede is verbonden aan de velduil. We liggen uit de wind in de voorjaarszon in het binnenduin. Bo slaapt tussen ons in. Monika kauwt op een grasspriet. Er zit gras in haar haar. Ze steunt op een elleboog, haar hoofd ligt in haar hand. Ze zegt: 'Wat betekent het voor jou om vader van mijn kind te zijn?'

Dat was een typische Monika-vraag. 'Wat bedoel je als je zegt: ik hou van jou?' 'Hoe voelde je je toen je Bo voor het eerst in je armen hield?' 'Wat versta jij onder trouw?' Voor Monika was niets vanzelfsprekend – tenminste niets dat van doen had met de liefde. Door haar ben ik gaan begrijpen wat voor de liefde het meest dodelijk is: vanzelfsprekendheid.

Ik denk na. Antwoord dan: 'Dat onze levens niet meer zijn te scheiden. Dat je niet meer kunt zeggen: Hier houdt mijn leven op en daar begint het jouwe.'

'Vind je dat een beperking?'

'Allerminst. Dat het hoogste doel in het leven de individuele zelfverwerkelijking zou zijn, is een verkooppraatje van psychotherapeuten en pseudogoeroes. Het hoogste doel is definitief afrekenen met het exclusief denken.'

'Pardon? Wat is dat, exclusief denken?'

'Het is het denken dat onderscheid maakt en isoleert. Het is het denken dat een prachtig hulpmiddel is om aan waarheidsbevinding te doen, maar dat helaas tot doel in zichzelf is verheven. En dan vormt het het grootste obstakel om tot wijsheid te komen.'

'Je lult weer eens uit je nek Armin. Spreek toch gewone-mensentaal!'

'Je vroeg er zelf om,' sputter ik tegen. Maar dat argument heb ik al vele malen eerder in de strijd geworpen en ze heeft zich er nooit gevoelig voor getoond. Zo ook deze keer niet.

'Je weet dat ik een hekel heb aan van die abstracties. Ik vroeg toch gewoon of je het vervelend vindt dat door Bo onze levens niet meer uit elkaar te halen zijn? Dat is toch een heel concrete vraag?'

In de eerste twee jaar van onze relatie liep dit soort gesprekken vaak uit op knallende ruzies. Ik ervoer haar kritiek als regelrechte agressie en begreep niet waaraan ik die verdiende. Zij op haar beurt vond mijn abstracties beledigend, alsof ik haar bewust wilde kleineren door elke eenvoudige vraag te verheffen tot een filosofische kwestie. Maar op die middag in Ameland, in de vroege voorjaarszon, herkenden we de gevaren en matigden beiden onze toon.

Ze wuifde met haar vrije hand een insect weg dat rond haar hoofd zoemde en zei: 'Wat bedoel je nou precies?'

En ik zei: 'Om te snappen hoe het lichaam in elkaar zit, is het heel nuttig om het uit elkaar te slopen en onderdeel voor onderdeel te bestuderen. Voor een beter begrip van genialiteit en krankzinnigheid kan het heel verhelderend zijn om onderscheid te maken tussen lichaam en geest. En natuurlijk neemt het inzicht over bliksem, regenboog en zonsverduisteringen toe als we aannemen dat zij geen manifestaties zijn van goddelijke emoties. In die zin is het heel zinnig om exclusief te leren denken. Om te denken in termen van óf het ene óf het andere. Maar het vervelende van exclusief denken is dat het op den duur zichzelf als enige juiste denkvorm ziet – daar is het tenslotte exclusief voor. En dan leidt het tot intellectuele verlamming en zelfs tot regelrechte stompzinnigheid.'

'Bijvoorbeeld?'

'Bijvoorbeeld in de discussies over wat bepalend is voor wie we zijn: onze genen of onze omgeving. Hele academische veldslagen worden er over zo'n vraagstuk geleverd, terwijl vanaf het allereerste begin van het debat toch voor iedereen duidelijk zou kunnen zijn dat beide factoren een rol spelen en elkaar bovendien beïnvloeden. En je komt ze overal tegen, dat soort zinloze alles-of-nietsdebatten. Over de markt en de planeconomie. Over homeopathie en allopathie. Over het mannelijke en het vrouwelijke. Over de mens als berekenende egoïst en de mens als sociaal wezen. Over goed en kwaad.'

'En nu terug naar jou en mij en Bo.'

Ze glimlacht erbij, de chimpanseecode voor 'ik heb geen kwade bedoelingen'.

Ik zeg: 'Volgens de aanhangers van het exclusief denken verliezen mensen aan eigenheid als zij met anderen verbonden raken. Maar ik denk dat de liefde de mens in staat stelt om juist meer zichzelf te worden door in een ander op te gaan. Door Bo zijn wij voor de rest van onze levens onlosmakelijk met elkaar verbonden. Maar door die verbondenheid voel ik me vrijer dan ooit. Het tegenovergestelde van het exclusief denken, denk ik, is gelegen in de werkelijke aanvaarding van het paradoxale. De sleutel tot iedere wijsheid is een paradox.'

En juist op dat moment scheert een velduil laag over de ons omringende duindoorns heen, hij zwenkt en kantelt als hij ons ziet en verdwijnt weer even geluidloos als hij gekomen is.

'Stom toeval,' zeg ik, 'maar natuurlijk niet zonder betekenis.'

En Monika zegt 'pfffft!' en ze lacht een schelle schaterlach. En ik kruip over Bo heen en duw haar in het gras en kus haar tot ze stil is.

De derde herinnering betreft de nacht die volgde op die dag. Jarenlang heb ik alleen aan die nacht durven terugdenken wanneer Ellen heel dichtbij was. Omdat Ellen het begrijpt. Dat ik in dat café in Hollum aan die nacht moest denken terwijl Ellen zo ver weg was, had een waarschuwing moeten zijn.

Negenendertig

Ze komen samen terug. De ogen van het meisje schitteren nog meer dan voorheen. Aan Bo is niets te zien. Het meisje gaat op haar kruk zitten. Bo loopt naar ons tafeltje, maar gaat niet zitten. Hij zegt: 'Ik ga even daarheen.' En hij knikt met zijn hoofd schuin naar achter. 'Dat zijn die mensen die we vanochtend tegenkwamen, weet je nog?'

'Natuurlijk, amuseer je.'

Ik tuur naar de spiegelingen in het raam en probeer nergens aan te denken – wat niet lukt, wat *nooit* lukt. Als ik even later weer opkijk staat een van de jongens druk tegen Bo te praten. Zo nu en dan zegt hij iets terug. Het meisje-met-het-petje, dat half achter hem schuilgaat, laat hem met haar ogen geen moment los. Ik bestel een glas rode wijn bij de man met de werkmanshanden.

'Een rode wijn voor meneer.'

'Dank u wel.'

Twee glazen rode wijn later staat er opeens een man naast mijn tafeltje.

'Is die stoel vrij?'

'Ga uw gang.'

Hij heeft een enorm postuur. Ik schuif het tafeltje iets naar me toe om ruimte te maken voor zijn buik. Hij grijnst naar me. Helderblauwe ogen in een gezicht dat permanent lijkt na te gloeien van de buitenlucht. Een donkere, niet erg verzorgde baard. Tanden die een stevige rookverslaving doen vermoeden. Zodra hij zit haalt hij uit zijn broekzak een verfomfaaid pakje zware shag te voorschijn en begint te rollen.

'Bezwaar als ik rook?'

'Ga je gang.'

'Op vakantie?'

'Even een lang weekendje ertussenuit.'

'Amsterdam, schat ik?'

'Goed geschat.'

'Accent. Kleding. Aan onverschilligheid grenzende zelf-verzekerdheid. Ik haal ze er zo tussenuit, Amsterdammers.'

'Hollum?' vraag ik.

'Ballum.' Hij steekt zijn sjekkie aan. Neemt een forse teug. Blaast de rook richting plafond.

'Is dat je zoon?'

Hij knikt met zijn hoofd naar achteren, precies zoals Bo dat een halfuurtje geleden deed. Hij moet ons al een tijdje in de gaten hebben gehad.

'Ja.'

'Lijkt precies op je. Zelfde motoriek. Zelfde aan onver-schilligheid grenzende zelfverzekerdheid.'

Daar moet ik om lachen.

'Waarom lach je?'

'Een van die meisjes uit dat groepje heeft een oogje op hem. En volgens mij voelt hij zich daar bepaald niet zelf-verzekerd over.' (Al het andere dat ik zou kunnen zeggen, over gelijkenissen tussen mensen die geen familie van elkaar zijn, en over wat dat zegt over de invloed van omgeving en genen, dat zeg ik allemaal niet.)

Hij draait zijn enorme lichaam in de richting van de bar. Het tafeltje schudt ervan. De wijn klotst over de rand van mijn glas. Voor de zekerheid neem ik het glas in mijn hand. Hij kijkt een tijdje ingespannen naar het groepje jongeren. Ik kijk met hem mee.

Bo is nog steeds in gesprek met dezelfde jongen. Dat wil zeggen: de jongen praat tegen hem aan, met drukke geba-ren, en Bo zegt zo af en toe iets terug. Maar als hij nu wat zegt, kijkt hij niet meer naar zijn gesprekspartner, maar naar het meisje-met-het-petje. En zij geeft antwoord met haar ogen en zo nu en dan ook met haar mond. En opeens lijkt tot de jongen door te dringen wat er zich voor zijn ogen afspeelt. Hij doet een halve stap naar achter. Kijkt naar het meisje. Kijkt naar Bo, die juist weer iets tegen haar zegt. Dan richt hij zich nadrukkelijk tot het meisje, maar zij keurt hem geen blik waardig. Ze kijkt nog steeds naar Bo. En Bo praat al even onverstoorbaar verder. De jongen probeert nogmaals het gesprek weer naar zich toe te trekken, maar opnieuw zonder resultaat. Dan draait hij zich abrupt om en bestelt iets bij de barman.

De man tegenover mij aan het tafeltje draait zich weer naar mij toe. Opnieuw schudt de tafel. Het wijnglas rust veilig tussen mijn vingers.

'Kalverliefde!' zegt hij, zo hard dat ik bang ben dat Bo het zal horen. (Maar Bo reageert niet.)

'Dat wordt kussen in het donker. En friemelen. En voelen. Hahaha!'

Ik lach met hem mee, maar helemaal van harte gaat het niet. Wat ben je toch een ouwe chagrijnige lul aan het worden, denk ik bij mezelf. Maar ik zeg: 'Wil je iets van me drinken?' En dat wil hij wel.

Bas heet mijn tafelgenoot en drinkebroeder. En hij is geen visser, geen boer, geen olieboorder, geen havenloods, geen stroper, geen jutter, geen uitbater van een strandtent, geen kroegbaas, geen kok. Bas is bioloog. Hij bestudeert de gevolgen van de kokkelvisserij voor de eidereendenpopulatie van de Waddenzee. Die gevolgen zijn ernstig. Tienduizenden dieren zijn de afgelopen jaren van de honger omgekomen, als gevolg van de nieuwe, intensieve visserijmethodes van met name de Zeeuwse vloot die de Waddenzee frequenteert.

'Voor het eerst in jaren,' zegt Bas, met het schuim van zijn derde glas bier in zijn baard, 'ontleen ik aan mijn werk enige populariteit op het eiland. Natuurbeschermers zijn hier niet erg geliefd. De eilanders hebben vaak het gevoel dat de vogels belangrijker worden gevonden dan de mensen. En dat steekt. Dat kan ik ook best begrijpen. Maar nu het om die Zeeuwen gaat, ligt het natuurlijk anders. Dat die vreemdelingen hier de zee leegvissen, ja, dat kan natuurlijk niet!' Hij heeft een aanstekelijke lach en een al even aanstekelijk enthousiasme. Hij praat over de eidereenden als over de kroon op de schepping Gods.

'Een volwassen mannetjeseidereend in prachtkleed, daar kan ik de tranen van in mijn ogen krijgen,' zegt hij. 'Nog steeds. Ik ben geen dichter, helaas, maar als ik het kon, dan zou ik een lofdicht schrijven op de mannetjeseider. Dat clowneske zwart en wit, en dan die zachte pasteltinten erbij. Ik heb bij mannetjeseiders vaak hetzelfde als wat ik bij mooie vrouwen ook heb. Als ik een heel mooi vrouw zie, dan denk ik vaak: hoe is het mogelijk dat die tot dezelfde soort behoort als een dikke lelijkerd zoals ik. En als ik dan die plompe, donkere wijfjeseiders zie, naast zo'n schitterende, bijna tropisch gekleurde man, dan vraag ik me ook af hoe dat toch mogelijk is. Volgens mij is God een grote grappenmaker.'

En hij lacht zijn volle lach en draait zich nog eens half om en kijkt naar Bo en het meisje-met-het-petje, die nu alleen nog aandacht hebben voor elkaar. (Ze drinken beiden rode port – dat heb ik Bo nog nooit zien drinken!)

Het gesprek met Bas met de buik en de baard en het bier heeft mijn somberheid verdreven, en ik besluit van de rode wijn over te stappen op iets vrolijkers. Ik bestel een dubbele whisky met ijs.

'Of doe eigenlijk maar zonder ijs.'

Bas doet met me mee.

'Vergeef me mijn nieuwsgierigheid,' zegt hij als de drankjes zijn gearriveerd, 'maar waar is moeders?'

'Moeders is…' Dood wil ik zeggen. Maar ik ben bang dat ik dan meteen weer terugschiet in dat moeras van melancholie en zelfmedelijden. '… thuis. In Amsterdam. Het was weer eens tijd voor de mannen om er met z'n tweeën op uit te gaan.'

'Heel goed,' zegt Bas. 'Mannen onder mekaar. Ik weet zeker dat je zoon... hoe heet hij eigenlijk? Bo, mooi, Bo... ik weet zeker dat Bo zich lang niet zo op zijn gemak zou voelen met dat meisje daar als hij wist dat zijn moeder hier ook nog aan dit tafeltje zat.'

En opeens zie ik Monika tegenover me zitten. Met een glas rode wijn in haar hand, en haar rode haar in de war van de wind waar we tegenin hebben gefietst. Hebben we hier gezeten destijds, hier in dit café, aan deze tafel? Het kan. Ze droeg een appelgroene jas. Ze had een paarse sjaal om. Ze was de vrolijkste verschijning op het hele eiland. En ze wist het. Het halfironische lachje waarmee ze de buitenwereld tegemoet trad was haar manier om te zeggen: 'Jaja, kijk maar eens goed, dit is wat er geworden is van dat lelijke rooie sproetenmeisje dat jullie als kind zo hebben gepest. Nu hebben jullie spijt, nu willen jullie me leren kennen, nu willen jullie me aanraken, maar nu is het te laat. Ik heb jullie niet meer nodig. Ik ben heel gelukkig zonder jullie. Ik heb een man van wie ik hou en die van mij houdt, van mij alleen. En ik heb een kind met wie ik huil en met wie ik lach. En samen lachen we om jullie. Wij drieën tegen de rest van de wereld. En we winnen met twee vingers in de neus.'

Zo keek Monika de wereld in, in het voorjaar van 1987.

Waarom moest God daar een sluipschutter op afsturen?

Ik sla in één teug mijn whisky achterover. Bas kijkt me verbaasd aan. Maar hij zegt niks. Mannen onder elkaar.

Ik herinner me nog dat Bo op zeker moment naar me toe kwam lopen.

'Ik ga nog even met ze mee. Ergens anders heen.'

'Dat is goed. Veel plezier.'

Bas en ik lachten en dronken en praatten. Hij vertelde

een hilarisch verhaal over een dronken kokkelvisser waarvan ik mij de clou niet meer herinner. Of misschien was er wel geen clou. Hij vertelde over zijn vader die op Scandinavië had gevaren. Over stormen in het Kattegat en op de Sont. Over geparfumeerde brieven uit Zweden die zijn moeder tot wanhoop hadden gedreven. Hij vertelde over kisten met kostbare wijn die hij als kind op het strand had gevonden na een zware storm. En over een opgezwollen lijk dat een paar jaar geleden plotseling opdook in de branding, midden tussen een groepje spelende kinderen. Hij vertelde eiland-verhalen. En ik luisterde. En ten slotte vroeg hij mij naar het leven in Amsterdam. En ik keerde terug naar mijn dron-kenmansjaren, die mij plotseling scherp voor de geest ston-den (zoals dronken goudvissen zich de kunstjes herinneren die hun eerder in dronkenschap zijn aangeleerd).

Ik zei: 'Op een regenachtige nacht in oktober liep ik eens over de Wallen. Het moet een uur of vier, vijf zijn geweest. Het begon stil te worden. Ik droeg Bo op mijn rug en ik keek naar de vrouwen achter de ramen en zij keken naar mij. Een van de vrouwen tikte tegen het venster en wenkte, en ik dacht: Hierbuiten is het koud en nat en daarbinnen is het vast lekker warm. Ik voelde in mijn broekzak en vond nog wat papiergeld en hoewel ik niet wist of het om tientjes ging of om briefjes van honderd, liep ik toch naar de deur. En de vrouw deed voor ons open en ik stapte naar binnen en ik zette Bo op de enige stoel die in het kamertje stond en zij deed het gordijn dicht en vroeg hoe ik heette. Dat vond ik heel lief van d'r, dat ze wilde dat ik een naam had. De hele avond en nacht had ik met mensen gesproken, in bars, op straat, maar niemand had naar mijn naam gevraagd. De vrouw was een Duitse, ze sprak met een zwaar accent. An-drea heette ze. Of in ieder geval noemde ze zich zo. Armin en Bo vond ze Duitse namen, en ik liet dat maar zo. Ze vroeg aan Bo of hij zijn jas uit wilde doen, maar Bo sliep. Dus ik zei: Bo slaapt met zijn ogen open. Eerst geloofde ze me niet. Ze ging voor hem staan, in haar zwarte negligé, en ze bewoog haar zorgvuldig gelakte handen vlak voor zijn gezicht. Hij reageerde niet. Toen pas geloofde ze het. Hoe komt dat? vroeg ze. Door een nachtmerrie, zei ik. Arme Jungen. We gingen op het bed zitten, Andrea en ik. Waar is die Mutter? vroeg ze. Die is dood, zei ik.' En tegen Bas verduidelijkte ik: 'Bo's moeder is al tien jaar dood.'

Bas knikte, alsof het de normaalste zaak van de wereld was dat de moeder die net nog thuis was, nu plotseling tien jaar dood was. En eigenlijk was dat ook zo. Dat mensen over zulk soort dingen niet de waarheid spreken is de normaalste zaak van de wereld.

'Daarom dronk ik zoveel in die tijd,' zei ik. 'Daarom zwierf ik om vijf uur 's nachts met mijn zoon over de Wallen.'

De barman bracht meer bier. Kennelijk waren we niet meer aan de whisky.

'We hebben een hele tijd op dat bed gezeten,' vervolgde ik. 'Het was een lieve meid. Ze vertelde dat ze een dochtertje had dat bijna even oud was als Bo. Ik vroeg haar wat de eerste woorden waren die ze haar kind had geleerd. *Mein Vati ist ein Arschloch*, zei ze. Haar dochtertje heette Maria. Ze hoopte dat het kind haar hele leven maagd zou blijven. Ik heb haar tweehonderd gulden gegeven. Maar toen ik thuiskwam en Bo uitkleedde om hem in bed te stoppen, vond ik het geld terug. Ze had het tussen zijn kleren gestopt. Dat is de enige keer dat ik naar de hoeren ben geweest.'

Toen we ons bier op hadden, ben ik opgestapt.

'Doe voorzichtig,' zei Bas nog.

En ik zei: 'We zitten in een huisje praktisch om de hoek. Dat komt wel goed.' Maar ik heb lang lopen zoeken voor ik het had gevonden.

Bo was er niet.

Veertig

Ik werd wakker met een verschrikkelijke hoofdpijn. Mijn tong was van leer en mijn maag voelde aan als een chemisch reactievat dat op springen staat. Ik zat in een stoel in de woonkamer van ons huisje. Buiten begon het licht te worden. Op het hek voor het huis zat een merel. *Tsjuuk-tsjuuk-tsjuuk-tsjuuk-tsjuuk* zei de merel. Ik liep naar het keukenblok en vulde een longdrinkglas met water. Drie keer. Toen liep ik terug naar mijn stoel, pakte de fles whisky van de grond en nam twee forse slokken.

Het hielp niet.

Ik liep naar de wc en piste en dronk meer water. Toen liep ik naar de kamer met het tweepersoonsbed, opende de deur en… In het bed lagen Bo en het meisje-met-het-petje. Zonder petje. Het petje lag op de grond, boven op de rest van haar kleren. Ze had een T-shirt aan. Van Bo. Ook Bo droeg een T-shirt. Het was bepaald geen schokkende scène, eerder romantisch, onschuldig zelfs. Hij sliep. Zij sliep. Haar arm lag over hem heen. Ik deed de deur weer dicht en ging in mijn stoel zitten. Ik schonk mezelf nog een glas whisky in en vroeg me af waarom mijn handen zo trilden.

Ik herinner me dat ik het meisje 's ochtends door het huis heb zien lopen, in haar onderbroek en dat T-shirt van Bo. Ik herinner me dat Bo koffie heeft gezet. Later stond er een mok met koude koffie naast mijn stoel. Ik herinner me dat ik mezelf nog een glas whisky wilde inschenken om de hoofdpijn te verjagen. Maar de whisky was op. Gelukkig was er nog een flesje bier.

Ik liep opnieuw naar de kamer met het tweepersoonsbed. De kamer was leeg. Het bed onopgemaakt. Ik liet me languit vallen. Het bier gutste uit het flesje. Wat er nog van over was dronk ik in één teug leeg. Ik voelde hoe het koude vocht langs mijn kin en mijn hals liep. Ik sloot mijn ogen. De wereld tolde. Ik dacht aan Monika. Ik dacht aan Ellen, die ik nooit zou kunnen geven wat ze het liefst van alles wilde. Ik dacht aan mijn zoon, die mijn zoon niet was en die op zijn veertiende dingen durfde die ik pas durfde op mijn twintigste. En ik dacht: dat heeft 'ie van zijn vader. En toen dacht ik aan Niko Neerinckx en aan Anke. En ik vervloekte me zelf dat ik niet met haar had geneukt. Dat ik nog steeds een lafaard was, een halve man. En ik probeerde me voor te stellen hoe ze eruit zou zien zonder kleren, hoe ik de kleren van haar lichaam zou scheuren, hoe ze zich aan mij geven zou, hoe ze zich vergeefs zou verzetten. Ik wilde dat ik een erectie kreeg. Een erectie van *haar*. Maar daar was ik veel te dronken voor.

Ik draaide me op mijn buik en begroef mijn gezicht in het kussen. Het kussen rook naar meisje. Ik huilde.

'Armin! Armin! Wat doe je hier? Dit is *mijn* bed! Rot op, Armin! Je bent dronken! Je hebt gekotst! Smeerlap! Armin!'

Bo sjort aan mijn schouder. Schreeuwt in mijn oor. Ik draai me om. De wereld draait de andere kant op. Bo hangt op zijn kop in de lucht. Ondanks die vreemde positie blijkt hij in staat mij een klap te verkopen. Hij slaat me midden in mijn gezicht, met een vlakke hand. Ik hoor het kletsen. Bo draait honderdtachtig graden en schiet naar achteren. De muren van de kamer vliegen op me af.

'Wat is er?' roep ik. Maar ik kan mezelf niet horen. Kennelijk hoort Bo me ook niet.

'Ga naar je eigen kamer, smeerlap!' roept hij.

Ik kom half overeind. Er kleeft iets aan mijn wang. Ik veeg met mijn hand langs m'n gezicht. Daar zweeft mijn hand door de ruimte. Nu kleeft er iets aan mijn vingers. Iets geels. Ik kijk naar de plek waar ik zojuist heb gelegen. Ik voel een golf van zuur in mijn slokdarm omhoog schieten. Het kussen ligt vol braaksel.

'Jezus.'

'Ja, jezus, ja!' gilt Bo. Waarom gilt hij zo? Is hij soms bang dat ik hem niet hoor? En waarom heeft hij me geslagen? Hij heeft me geslagen! Dat hoerenjong! Die bastaard!

'Wat denk je godverdomme wel!' Nu komt er geluid uit mijn mond. Het schuurt en raspt in mijn keel, maar dat kan me niet schelen. Hij zal me horen. 'Wie denk je wel dat je bent? Mij een beetje slaan, omdat ik in jouw liefdesnestje heb liggen kotsen, hè? Je schaamt je natuurlijk voor dat meisje, hè, dat je zo'n zuipschuit als vader hebt! Nou jongen, ik kan je geruststellen. Ik ben je vader namelijk niet! Hoor je dat? Hoor je dat? Ik ben je vader niet! Je vader is een of andere smerige rokkenjager uit Haarlem, die niet van je moeder kon afblijven. Daar kijk je van op, hè? Die lag ongetwijfeld ook al op z'n veertiende kleine meisjes te neuken!'

Hij had drie stappen achteruit gedaan, Bo. Hij was wit weggetrokken, terwijl ik tegen hem raasde en tierde. 'Wat is dat voor onzin?' had hij geroepen. En toen was hij plotseling boven op me gesprongen. Met al zijn jongenskracht had hij op me ingeslagen. Ik voelde zijn vuisten op mijn borst, op mijn gezicht, tegen mijn oren. Ik hield mijn ogen dicht en alle kracht vloeide uit me weg.

Het was gezegd. Het was eindelijk gezegd.

Eenenveertig

Op de voorpagina van *NRC Handelsblad* van 24 maart 1983 staat een foto van een foto. Op de eerste afbeelding staat de Amerikaanse president Ronald Reagan. De president heeft een stapeltje papieren in zijn ene hand. Met zijn andere hand wijst hij iets aan dat zich buiten het blikveld van de fotograaf, en dus van de lezer van het avondblad bevindt. Vlak boven de wijzende hand staat op een driepotige standaard de tweede foto, in een zwarte lijst. De voorstelling op die foto bestaat uit een aantal onduidelijke witte lijnen in een grijs vlak. Een tekstblokje geeft in vette zwarte letters uitleg: 'Sovjet MIGs Western Cuba.' Het is een spionagefoto van militaire installaties op Fidel Castro's suikereiland.

Op de dag dat Bo werd geboren was de koude oorlog net een nieuwe fase ingegaan. Ronald Reagan had zijn Star Wars-plannen gelanceerd. Bo werd geboren in een wereld die niet meer bestaat.

Ik kijk naar de foto, en de foto in de foto, in de huiskamer van mijn ouders. Dat zij een krant hebben bewaard van de geboortedag van mijn zoon! En dat niet alleen. Ik heb de krant gevonden in een doos die vol bleek te zitten met Bo-souvenirs. Foto's. Tekeningen. Een schoolrapport. Een schriftje. Hoe komen ze daar allemaal aan?

Ik laat de foto's zien aan Dees, die me helpt bij het opruimen van het huis.

Bo als baby sabbelend aan Monika's borst.

Bo's eerste 'schoolfoto', gemaakt op het kinderdagverblijf.

Bo op schoot bij mijn moeder.

Bo aan de hand van mijn vader in Artis.

Bo met een gezicht vol chocoladevla.

Bo in kleren vol modder en zand.

'Wist je dat?' vraagt Dees. 'Dat dit er allemaal nog was?'

'Nee, nooit geweten.'

We spreiden de krant uit op de vloer. 'Nijpels komt terug op dreigen met crisis over bezuinigingen.' Ach gut. 'Man met kunsthart overleden.' Ach gosj. ('Barney Clark, de eerste mens die met een kunsthart heeft geleefd, is gisteren in Salt Lake City overleden, zo heeft het ziekenhuis bekendgemaakt. Clark heeft 112 dagen geleefd met zijn kunsthart van plastic en aluminium.') 'Schamel bal opent de boekenweek.' 'België wenst geen vuil meer uit Nederland.' 'Lening 500 miljoen dollar voor Irak.' ('Irak heeft een internationale lening gekregen tot een bedrag van 500 miljoen dollar. Vierendertig grote internationale banken hebben de lening onderschreven, waaronder een van de grootste Amerikaanse banken, de Chase Manhattan. Die laatste bank, waarvan de directeuren zeer goede persoonlijke relaties onderhouden met tal van Arabische hoogwaardigheidsbekleders, heeft naar verluidt in de Verenigde Staten stevig gelobbyd voor aanzienlijke Amerikaanse deelname in het project.' Ach ja.) En om 19.00 uur begon op Nederland 1 bij de NCRV het programma *Zo vader zo dochter*, terwijl de Avro op Nederland 2 om 20.10 keihard terugsloeg met *Wie van de drie?* O, prachtig truttig Nederland waarin Bo zijn eerste poepluier produceerde!

'Ik heb het hem verteld,' zeg ik zonder verdere inleiding.

'Wat? Wie?'

'Bo. Dat ik zijn vader niet ben.'

'Je bent gek!'

'Ik was vooral dronken. Hij had me geslagen, Bo. Omdat ik had liggen kotsen op het kussen waar hij zijn eerste meisje had gezoend. Of geneukt misschien wel.'

'Wát? Wat, wat, wat?!'

Hij vouwt met woeste gebaren de krant dicht. Gaat op een stoel zitten. 'Vertel. In logische volgorde graag.'

En ik vertel. Over het meisje-met-het-petje op het wad. En hoe we haar weer tegenkwamen die avond in de kroeg. En over Bas met zijn buik en zijn baard en zijn bier. En over de whisky. En over het tweepersoonsbed. En over de klap die Bo mij gaf. En wat ik toen gezegd heb. En wat Bo toen deed.

'Shit!' zegt Dees. 'Shit man! Godverdomme, shit!'

Ik zit op de grond en raap de foto's op van Bo en stop ze terug in de doos.

Goed dat mijn vader dit niet meer hoeft mee te maken.

Blij dat hij me nu niet kan zien.

Zijn mislukte zoon.

Dees staart me aan met zwarte ogen. Ik sta op. Loop naar het raam.

'Zeg het maar,' zeg ik.

'Klootzak.'

'Ja.'

'Ongelooflijke klootzak.'

'Ja.'

Het blijft heel lang stil in de kamer. Een vrouw loopt voorbij met een klein lelijk hondje aan een belachelijk lange lijn. Ik denk aan de buurman, meneer Bruggeman, en aan Boris. Ik heb ze nog niet gezien vandaag. Misschien is hij wel dood, denk ik. Eindelijk gerechtigheid.

Dees zucht. 'Hoe is het nu met Bo?'

'Geen idee. Niet goed, denk ik. Toen hij ophield met slaan sprong hij van het bed en liep zonder een woord te zeggen het huis uit. Ik ben in slaap gevallen. Toen ik 's avonds wakker werd, was hij nog altijd niet teruggekeerd. Ik heb het bed verschoond. Wat te eten gemaakt. Daarna probeerde ik een boek te lezen, wat niet lukte. Tegen een uur of één kwam hij eindelijk thuis. Hij zei niks. Ging gelijk naar zijn kamer. 's Ochtends heb ik hem gewekt met een verse croissant en jus d'orange. Ik zei dat we moesten praten. Ik zei dat ik begreep dat hij van streek was en boos. En dat hij tijd nodig had. Hij moest me maar om uitleg vragen als hij daar aan toe was. Hij heeft de hele dag niets gevraagd. Begin van de middag hebben we de boot genomen, een halve dag eerder dan de bedoeling was. Zwijgend zijn we naar huis gereden. Het was de langste, verschrikkelijkste stilte sinds Monika ophield met praten.'

'Allemachtig,' zegt Dees.

'Ja.'

'Hoe reageerde Ellen?'

'Ellen weet nog van niks. Ze was er niet toen we aankwamen. Had ons nog niet verwacht. Toen ze 's avonds thuiskwam lag Bo al in bed. Ze vroeg hoe het geweest was en ik zei: Goed. En ze vroeg: Is er iets? Want ik keek natuurlijk niet erg vrolijk. Maar ik zei: Nee, ik ben alleen erg moe. En Bo ook. Die is al naar bed. In bed ben ik heel dicht tegen haar aangekropen. Ze was onrustig. Kon de slaap niet vatten. Ze weet dat er iets mis is. Maar vanochtend was ik zo vroeg de deur uit, dat ze de kans niet heeft gehad om ernaar te vragen.'

Weer blijft het heel lang stil tussen Dees en mij.

Hij haalt een paar keer diep adem, alsof hij iets wil gaan zeggen. Maar hij zegt niks. Uiteindelijk ben ik het die de stilte doorbreekt.

'Weet je wat het allerkrankzinnigste is? Toen Bo met dat meisje in dat grote bed lag te slapen, had hij zijn ogen dicht. Ik zweer het je. Het drong op dat moment alleen niet tot me door. Zo dronken was ik.'

Dees lacht. Maar niet van harte.

Twee uur later.

We hebben zes verhuisdozen gevuld met spullen die ik wil bewaren. De Bo-souvenirs. Klassieke platen. Veel Beethoven. Ik houd niet van Beethoven. Veel Brahms. Ik houd niet van Brahms. Maar het zijn platen waar mijn moeder bij gehuild heeft. En waar mijn vader naar luisterde in de laatste dagen van zijn leven. Die kan ik toch niet laten staan voor 'Piet-Koopt-Alles'? Drie dozen met boeken. Oude kinderboeken. Mijn moeders bijbel. Mijn vaders plank met Nederlandse klassieken. Louis Couperus. Frederik van Eeden. Arthur van Schendel. Vestdijk natuurlijk. Negen keer Vestdijk. Ik heb ook het religieuze boek gevonden dat de buurman had weggezet, het laatste boek dat mijn vader heeft gelezen. De buurman had het een plaats gegeven naast Vestdijks *De nadagen van Pilatus*, wat ik wel een mooie geste vond. Tot mijn verbazing bleek het hetzelfde boek te zijn dat ik tien jaar geleden tussen Monika's boeken vond: *De Geheime Leringen van Jezus van Nazareth*, waarin opgenomen De Openbaringen van Jakobus, Het Evangelie van Thomas en Het Evangelie van Philippus.

Zo komt alles wat voorbij is toch weer terug.

Ik heb het boek bij mijn moeders bijbel gelegd, want ongetwijfeld is het mijn moeder geweest die het destijds heeft aangeschaft – en het misschien ook wel cadeau deed aan Monika. (Monika was niet religieus, maar volgens mijn moeder kon je zo aan haar zien dat ze uit het katholieke zuiden kwam. En dat bedoelde ze nadrukkelijk als een compliment.)

Als de laatste doos is gevuld, komt meneer Bruggeman langs met Boris, om even een kijkje te nemen en een praatje te maken. De hond rent opgewonden door het huis. En meneer Bruggeman praat en praat en praat.

'Twee dagen geleden,' zegt hij, 'schrok ik midden in de nacht opeens wakker. Ik hoorde gestommel en stemmen. Het klonk als twee ruziënde mensen – een man en een vrouw. En ik zou gezworen hebben dat het geluid uit dit huis kwam. Maar dat kan natuurlijk niet. Nee, dat kan niet. Ik heb ernaar liggen luisteren met kloppend hart. Ik kon er geen woord van verstaan, hoewel ik wel mijn best deed. Ik ben opgestaan en heb licht gemaakt. Ik dacht: misschien zit het alleen maar in mijn hoofd. Maar op een gegeven moment werd het zo erg dat Boris er zelfs van begon te blaffen. Toen heb ik mijn kamerjas aangedaan en ben naar buiten gegaan om te kijken of er licht brandde bij de buren aan de andere kant. Maar alles was donker. En buiten hoorde ik het ook niet meer, dat geruzie. Binnen bleef Boris maar blaffen. Toen hij eindelijk ophield was het overal weer stil. Ik heb de hele nacht niet meer geslapen.'

Dees zegt: 'In de nacht is het soms moeilijk te horen waar geluiden vandaan komen.'

'Ja,' zegt meneer Bruggeman. 'Jaja.'

'Mijn vaders wijncollectie,' zeg ik, 'is voor u.'

Hij protesteert. Maar niet lang.

Als hij weg is loop ik nog één keer door het huis om te zien of ik niks heb gemist. Dees begint alvast de dozen naar de auto te sjouwen. Alles wat we nu niet meenemen gaat naar 'Piet-Koopt-Alles'. De boekenkast. De salontafel. De leren bank. De leren stoel. Het bed. Ook het bed? Ja, ook het bed.

Ik sta tegen de post van de slaapkamerdeur geleund en ik probeer me mijn ouders voor te stellen, samen in dat bed, dat er nu kaal en onvriendelijk uitziet zonder beddengoed. Twee jaar geleden sliepen ze hier samen voor het laatst. Zouden ze het geweten hebben, die nacht voor de dag dat mijn moeder naar het ziekenhuis ging, dat het de laatste keer was? Hebben ze erover gesproken, hij in een van zijn vele gestreepte pyjama's (ook die gaan naar 'Piet-Koopt-Alles'), zij in een zedige nachtjapon? (Ik heb geen kleren van mijn moeder meer gevonden, geen sjaaltje, geen vergeten paar handschoenen, niets. Wat mijn vader ermee gedaan heeft weet ik niet.) Ik ruk me los uit mijn mijmeringen en buk me om nog een blik onder het bed te werpen — een gewoonte uit de vakanties. En er staat nog wat. Er staat nog een kistje dat ik niet eerder had opgemerkt. Ik haal het te voorschijn. Het is gemaakt van tropisch hardhout, mahonie ingelegd met ebben en parelmoer. Ik ga op de rand van het bed zitten en maak het open. Brieven. Kaarten. Van mijn vader aan mijn moeder. Van mijn moeder aan mijn vader. Een ansichtkaart uit Bretagne van Monika en mij. Een brief die ik aan mijn moeder schreef toen ze al ziek was. Beneden hoor ik een deur slaan. Ik moet Dees gaan helpen. Dit moet maar wachten tot een moment waarop ik het aandurf. Een moment waarop Ellen in de buurt is, om me vast te houden als ik van de wereld dreig te vallen. Gedachteloos laat ik de brieven en kaarten nog een keer door mijn handen gaan. Dan valt mijn oog op een smalle enveloppe. 'COR' staat erop, in blokletters. Mijn vaders roepnaam. Meer niet. De enveloppe is langs een van de korte kanten opengescheurd. Ik schud het papier eruit. Het is een klein briefje met een korte boodschap. In een vrouwelijk handschrift staat geschreven: 'Ik ben zwanger. M.'

Wat is de beste manier om een klap op te vangen? Meegeven. Zorgen dat je niet alles in één keer voor de kiezen krijgt.

'Ik ben zwanger. M.'

Monika heeft mijn vader een briefje geschreven om hem te vertellen dat ze zwanger was. Punt.

Ze heeft het briefje kennelijk persoonlijk bij hem afgegeven, want er staat geen adres op de enveloppe, er is geen postzegel. Punt.

Wat kan dat betekenen?

Dat... kan... maar... één... ding... betekenen.

Toch?

Eén ding.

Ik probeer het briefje terug te stoppen in de enveloppe. Maar mijn handen trillen te veel. Ik leg het samen met de enveloppe terug op de stapel. Ik doe het kistje dicht. Loop de trap af.

'Wat is dat?' vraagt Dees.

'Brieven en ansichtkaarten.'

We hebben samen de laatste dozen naar de auto gedragen. Met veel passen en meten kregen we ze er allemaal in. Het kistje met de brieven heb ik op de grond gezet, tussen de bijrijdersstoel en de achterbank. Ik herinner me dat ik in de achteruitkijkspiegel heb gekeken toen we wegreden. Ik zag het huis van mijn ouders in een klein rechthoekig vlakje voorbij schuiven terwijl ik de auto draaide en de straat uit reed. Voor de laatste keer door de oude dorpskern met zijn twee reusachtige kerken, zijn bruggetjes over het Gein. 'Abcoude – het oude alfabet,' zoals mijn vader zei. Een flauw grapje, maar ik moest er opeens verschrikkelijk om lachen.

Dees reageerde niet. Dees was nog altijd boos op me. Of op z'n minst zwaar in me teleurgesteld. Ik dacht: Je moest eens weten wat ik net heb ontdekt. Maar ik zei niks. We reden op de A2 en ik had al mijn energie nodig om niet een ruk aan het stuur te geven en met honderdtwintig kilometer per uur de vangrail in te rijden.

Als ik Dees thuis heb afgezet ('Hou me op de hoogte,' zegt hij, 'en sterkte') rijd ik door naar het Amsterdamse Bos. Ik wil nog niet naar huis, kan nog niet naar huis.

Ik ben zwanger. M.

Wat kan het anders betekenen dan… dan dát?! Nog steeds willen de woorden niet komen. Ik kan zelfs aan mezelf niet vertellen wat ik denk. Wat ik wéét.

Ik parkeer de auto aan het begin van de Bosbaan op de plek waar jaren geleden twee Amsterdamse politieagenten een verdachte kanariegele Renault 5 zagen staan. Ik loop het bos in. Van ver hoor ik het klaaglijk miauwende roepen van de pauwen bij de boerderij die de rand van bos en oude weidegrond markeert. Even voorbij de boerderij sla ik linksaf, steek een klein houten bruggetje over en betreed het zompige territorium van de nachtegalen. Het is een kille dag, laat in april, en behalve het monotone slaan van een tjiftjaf is er geen vogelgezang te horen. Misschien zijn de nachtegalen nog niet gearriveerd. Ze behoren tot de laatste trekvogels die uit het zuiden terugkeren. Als de nachtegalen zingen is niet het voorjaar in aantocht, maar de zomer.

Het water van de Ringvaart is zwart en onrustig. Valwinden laten de golven alle kanten op schieten. Een meerkoet zwemt luid piepend en met zijn kop laag over het water naar een onnozele, bontgekleurde eend. Als hij de stadsvogel tot op enkele meters is genaderd zet hij een sprint in. Zijn gelobde poten jakkeren door het water en hij klappert met zijn vleugels zodat het water rondom hem opspat. De eend vliegt op onder luid protest. De meerkoet zwemt nog even wat rond op de plek die hij op de indringer heeft veroverd, alsof hij zich ervan wil vergewissen dat de eend werkelijk weg is en het gevaar geweken. (Welk gevaar? Waarom zien meerkoeten toch in alle andere vogels een bedreiging? Volstrekt paranoïde zijn ze. Maar misschien dat ze daarom wel zo goed overleven in de stad.)

Ik besluit door te lopen langs de oever van De Nieuwe Meer, en dan dwars door de weilanden terug naar het bos en de Bosbaan. Of eigenlijk besluit ik helemaal niets. Het is wat er met me gebeurt. Ik word naar de oever van het meer gelopen en dan word ik rechtsaf gedirigeerd, over het smalle pad door de weilanden. Ik zie de boerderij opdoemen in het uitlopende groen. Ik zie hem aan mij voorbijgaan. Ik kom terug bij de auto en ik word achter het stuur gezet en de motor wordt gestart en de auto begint te rijden en iemand stuurt me veilig door het verkeer, over de ringweg, terug naar huis. Ik word foutloos ingeparkeerd.

Als ik met mijn sleutel in de hand bij de voordeur sta, schiet het heel even door me heen: wat nu? Maar ik wacht het antwoord op de vraag niet af. Er is geen antwoord. De deur gaat open. De trap brengt me omhoog. Weer opent zich een deur en nog één. Ik sta in de woonkamer van mijn eigen huis – de veiligste plek op aarde. Ooit lagen hier de balen koffie tot het plafond toe opgetast. Nu staan er boekenkasten en een eettafel, stoelen en een bank. Op de bank zitten Ellen en Bo. Op de bank zit de zoon van mijn vader.

Tweeënveertig

Je kunt aan alles wennen, zelfs aan het onverhoedse.

Ellen en Bo hebben beiden gehuild. Rode ogen. Strepen op hun wangen. Haar in de war. Maar nu lachen ze. Bo zegt: 'Wat idioot!' Ik sta op de drempel en kijk naar hem. Het duurt even voor hij in de gaten heeft dat ik er ben. Hij houdt onmiddellijk op met lachen.

'Hallo,' zeg ik, onhandig.

Bo zegt niks.

Ellen komt overeind, loopt op me af, slaat haar armen om me heen en drukt zich tegen me aan. 'Hoe was het bij je vader?'

'Moeizaam.'

'Je moet even gaan zitten, Armin.'

Ik zak neer op een stoel en heb het gevoel dat ik er nooit meer uit op zal staan.

'Wil je koffie?'

Ik wil koffie.

Bo staart naar de tafel. Op de tafel ligt een enveloppe. Op de enveloppe staat: 'Voor Bo.' Ik herken het handschrift onmiddellijk. Het is hetzelfde handschrift als op de smalle enveloppe in het brievenkistje.

O God!

Ellen brengt de koffie. Ze zet het kopje voor me op tafel. Vlak naast de enveloppe. Dat verzorgde, gelijkmatige handschrift, hoe kwam ze daar eigenlijk aan? Het lijkt zo strijdig met wie ze was – wie ze geweest blijkt te zijn.

Ik wacht.

Het is stil in de kamer. Ellen roert met een lepeltje in haar koffie. Bo zucht.

'Bo heeft me verteld wat er is gebeurd,' zegt Ellen.

Ik zwijg en staar naar de enveloppe.

'Die brief,' zegt Ellen, 'heeft Monika mij ooit gegeven. Voor als het nodig was dat Bo zou weten wat er is gebeurd. Dat was nu dus nodig.'

Bo buigt zich naar voren en pakt de enveloppe, geeft hem aan mij. Ik kijk hem heel even aan. Ik kijk naar Ellen, maar Ellen kijkt naar het koffiekopje in haar hand. Ik haal de brief uit de enveloppe en lees. Ik kom niet verder dan de vijfde regel. Dan valt de brief uit mijn handen. Ik doe mijn ogen dicht en wacht. Er komt niets.

De eerste regels van de brief luiden:

Lieve Bo,

Terwijl ik dit schrijf, kijk ik naar je. Je speelt met een plastic ring, waarvan ik niet weet hoe je eraan komt. Ik kijk naar je en denk: Ik hoef deze brief niet te schrijven, want je lijkt op je vader, zoals je vader op zijn vader lijkt. En hoe dat zo gekomen is hoeft niemand ooit te weten. Het is een geheim tussen mij en de man die jij je opa zult gaan noemen — en dat kan maar beter altijd zo blijven. Maar God weet dat wat beter is voor de mensen, meestal niet gebeurt.

Ik kijk heel lang, heel ingespannen naar het puntje van mijn linkerschoen. Er zit een beetje modder aan en in die modder plakt een veertje. Ik probeer uit het veertje te herleiden van welke vogel het afkomstig is, maar het is nogal een nondescript ding. Grijs. Of vuilwit. Als ik lang genoeg naar het veertje heb gestaard kijk ik naar Bo. Maar Bo heeft zijn eigen veertje om naar te staren. Ik zeg: 'Nu weet jij het dus ook.'

Hij kijkt naar me op. Onbegrip in zijn ogen. Zijn ogen zoeken steun bij Ellen.

'Ook?' vraagt Ellen.

'Ja,' zeg ik. 'Ik vond bij mijn vader ook een briefje van Monika.'

Ik neem een slok van mijn koffie.

'Dus jij hebt het al die jaren geweten?' vraag ik haar. Maar het klinkt niet als een vraag. Het klinkt als een berusting.

'Ja.'

Ik vouw de brief dicht, stop hem terug in de enveloppe en geef hem weer aan Bo. Ik sta op. Al mijn spieren doen me pijn.

'Waar ga je heen?' vraagt Ellen.

'Naar buiten. Lopen.'

'Dan ga ik mee.'

Ik wil protesteren, maar ik heb de energie niet.

Drieënveertig

Dit schrijft de evangelist Philippus: 'Als een parel in de modder wordt gegooid daalt haar waarde niet. En haar waarde stijgt niet als ze met balsemolie ingewreven wordt; in de ogen van de eigenaar behoudt zij haar waarde.'

Mijn moeder heeft de woorden onderstreept. Zoals ze ook de passage over de echtbreker heeft onderstreept die ik ooit, in mijn onwetendheid, voorlas aan mijn vaders zoon (mijn broer!) uit het boekje van zijn geliefde-voor-één-keer, mijn geliefde Monika. Mijn moeder moet het al die jaren hebben geweten. 'Misschien hield ik wel niet genoeg van hem. En later kon ik het niet meer.' Wat is dat toch, dat zoveel vrouwen zichzelf de schuld geven als hun mannen vreemdgaan? Ik ben bereid om van alles in overweging te nemen om te begrijpen wat er is gebeurd, maar niet dat het mijn schuld zou zijn. Heeft mijn moeder het briefje gevonden dat Monika aan mijn vader schreef? En heeft ze het toen meteen geweten – zoals ik het wist? Heeft mijn vader geweten dat mijn moeder het wist, of kwam hij daar pas achter toen hij het Evangelie van Philippus las en de onderstreping zag? ('De kinderen die een vrouw gaat baren lijken op degene die ze liefheeft. Als dat haar man is, lijken ze op haar man. Als dat echter een echtbreker is, dan lijken ze op die echtbreker.' De woorden die mijn vaders hart te veel werden. Ik zou er een tegeltje van moeten laten maken.)

Ik denk aan wat Bas, de buikige, baardige bioloog tegen me zei, in het café op Ameland. 'God is een grote grappenmaker.' Maar ik lach niet.

Honderd vragen zijn beantwoord, maar er zijn duizend nieuwe vragen voor in de plaats gekomen. Hoe meer ik weet, hoe meer ik besef dat ik niets weet.

Wat ik nu weet is hoe het gegaan is, ongeveer. Volgens Ellen.

Het is begonnen met een bliksemschicht. ('Zoiets verzin je niet,' zei ik tegen Ellen. 'Nee, zoiets verzin je niet,' antwoordde zij.)

Mijn vader en Monika werkten in het huis aan de Ceintuurbaan. Mijn vader had een muur gestuukt, terwijl Monika het plafond in de slaapkamer witte. Toen ze klaar was had ze zich gedoucht, om de verf uit haar haar te wassen. Daarna was ook mijn vader zich gaan douchen, terwijl Monika thee zette en broodjes smeerde. Het liep al tegen het einde van de middag, maar ze hadden nog niet geluncht, zo druk waren ze geweest. Toen ze aan de geïmproviseerde keukentafel zaten (een deur op schragen, drie klapstoeltjes van Ikea eromheen) was het buiten plotseling donker geworden. Even later kletterde de regen in dikke zomerstralen uit de hemel. Monika was voor het open raam gaan staan. Hoe vaak heb ik haar dat niet zien doen? Ze had een kinderlijke fascinatie voor zware regen en onweer. Dan stond ze met grote ogen naar buiten te kijken, een glimlach op haar bleke gezicht, dat in dat vreemde licht dat bij onweersbuien hoort nog bleker leek. Wat ik dan deed, en wat mijn vader kennelijk ook gedaan heeft, is achter haar gaan staan, heel dicht achter haar. En dan liet ze zich langzaam naar achteren zakken. Dan leunde ze tegen mijn borst. Dan prikten haar rode haren in mijn gezicht. En als dan een bliksemschicht de wolken uiteenscheurde, en als de donder de ramen deed trillen in hun sponningen, dan legde ze haar hoofd tegen mijn schouder en keek ze naar me op. En altijd dacht ik dan: Ze heeft de mooiste, sensueelste ogen die ik ooit heb gezien. Zou mijn vader dat ook hebben gedacht?

'Volgens Monika,' zei Ellen, 'sloeg de bliksem plotseling

vlakbij in. Ze schrok van de klap en deed onwillekeurig een stapje naar achteren. Ze botste tegen je vader op, en je vader sloeg beschermend zijn armen om haar heen.' Daar was Ellen gestopt.

'En toen?' vroeg ik.

'Wil je het echt weten?'

'Ja, ik wil het echt weten.' Al wist ik natuurlijk liever van niks.

'Monika zei dat er al dagen een spanning had bestaan tussen je vader en haar. Dat ze een hunkering had gevoeld die ze niet voelen wilde, van zichzelf niet voelen mocht, maar die almaar sterker was geworden. Op het moment dat hij zijn armen om haar heen sloeg, was het alsof er een gat werd geslagen in de dijk waarachter zij haar gevoelens had verborgen. Zo omschreef ze het.'

En weer viel Ellen stil. En weer vroeg ik haar om verder te gaan. Om me alles te vertellen wat ze wist en wat ik niet weten wilde, maar wel weten moest.

'Monika heeft zich omgedraaid en je vader gekust. Hij heeft nog gezegd dat ze dat niet moest doen. Maar hij kuste haar wel terug. En... nou ja. Toen hebben ze het gedaan.'

'Gelijk van kussen naar neuken?'

'Nou ja, niet gelijk. Maar wel... snel.'

'Maar... maar waar dan? Er was... er was niks in dat huis om het een beetje... comfortabel te maken, zal ik maar zeggen.'

'Nee.'

'Op de grond?'

'Nee.'

'Staand?!'

'...'

'Jezus, nee! Mijn vader?' Ik geloof dat ik toen heb gelachen. Heel even. We liepen langs het IJ, niet ver van ons huis. Er vloog een aalscholver voorbij en ik weet nog hoe zijn zwarte silhouet langzaam oploste in de tranen die in mijn ogen opwelden. Ik ben op de grond gaan zitten, op het koude vochtige asfalt. En ik dacht: Ik sta nooit meer op. Ik kan het niet meer. Het is mooi geweest. Het is op. Maar Ellen hurkte naast me neer en omhelsde me en streelde me en trok me tegen zich aan. Zo hebben we daar gezeten, terwijl de schemering inzette en de merels begonnen te zingen en de kilte langzaam optrok in mijn botten. En als Ellen me niet overeind had geholpen, als Ellen niet had gezegd dat we terug moesten naar huis, naar Bo, naar het heden, dan zat ik daar nu nog. Dan zou ik daar zijn gestorven aan een gebroken hart, als de tragische held uit een negentiende-eeuwse roman.

Dat zou ik wel hebben gewild, maar Ellen wilde het niet.

Ook dit schreef de evangelist Philippus: 'De onwetendheid is een slavin. De kennis is vrijheid. Als we de waarheid kennen, zullen we de vruchten van de waarheid in onszelf oogsten.' Die passage heeft mijn moeder niet onderstreept. En Monika ook niet.

'Is ze klaargekomen?'
  'Armin!'
  'Ik moet het weten. *Jij* weet het, dat weet ik zeker. En ik kan de gedachte niet verdragen dat jij meer weet dan ik.'
  'Ja.'
  'Had ze spijt?'
  'Ja. Nee. Wel toen ze zwanger bleek te zijn. En ze voelde zich schuldig tegenover het kind, al voor het geboren was.'
  'Waarom heeft ze het jou verteld?'
  'Omdat ze er met iemand over moest praten. Omdat ze dacht dat ze gek werd.'
  'Waarom heeft ze geen briefje voor mij achtergelaten?'
  'Ze heeft mij toch voor je achtergelaten?'
  'Was ze verliefd op mijn vader?'
  'Nee.'

'Was hij verliefd op haar?'

'Dat geloof ik niet.'

'Vond ze het lekker?'

'Armin!'

'…'

'Ik geloof het wel.'

'Je gelooft het wel?'

'Ja. Ja, ze vond het lekker.'

'Godallemachtig.'

'Stop er alsjeblieft mee, Armin.'

'Voelde ze zich alleen schuldig tegenover Bo? Niet tegenover mij?'

'Nee. Ja, ook tegenover jou.'

'Heeft ze dat gezegd, of zeg jij dat nu, om mij een plezier te doen?'

'Nee natuurlijk niet. Natuurlijk voelde ze zich schuldig. Wat denk je nou?'

'Wat ik denk? Dat wil je niet weten, wat ik denk. Dat wil ik zelf niet eens weten.'

'Ze voelde zich verschrikkelijk schuldig.'

'Maar je zei net dat ze geen spijt had.'

'Nee. Spijt is iets anders. Spijt heb je zelf. Schuld krijg je van anderen.'

'O, dat is makkelijk zeg. Die schuld had ze dus van mij!'

'Je begrijpt het niet.'

'Nee, ik begrijp het niet.'

'Dat begrijp ik wel.'

'O, dank je.'

Ik reageer mijn woede af op Ellen. Mijn verbijstering. Mijn verdriet. Mijn frustratie.

Alsof zij hierom gevraagd heeft. Ja, ze heeft erom gevraagd! Ze heeft tegen me gelogen! Ik wist dat ze meer wist, ik wist het, maar ze bleef maar ontkennen. Nu moet ze boeten voor die leugens.

Wat een onzin! Wat een harteloze onzin. Alsof ze een keuze had. Alsof ik in haar plaats iets anders had gedaan. Had ik in haar plaats iets anders gedaan? Had ik in Monika's plaats iets anders gedaan?

Hoe warm was Ellens bed in die koude winternacht, toen Monika thuis zwanger lag te wezen van een man met wie zij één keer, met haar blote billen tegen de muur, had geneukt?

Eén keer.

'Wist jij het toen al?'

'Wist ik wat al wanneer?'

'Toen wij het deden, die ene keer, wist jij het toen al van Monika en mijn vader?'

'Nee.' Ze is een tijdje stil. Dan zegt ze: 'Ik belde haar de volgende dag. Ongetwijfeld uit schuldgevoel. Ik vroeg hoe het met haar ging. Niet zo goed, zei ze. Ik vroeg of ik langs moest komen. Dat wilde ze wel. Kom morgen, zei ze. Jij was naar de uitgeverij, die dag. Toen heeft ze het me verteld. Ik had haar kunnen zeggen dat ze zich niet zo schuldig hoefde te voelen. Dat ze niet de enige was. Dat we allemaal weleens iets doen dat we beter niet hadden kunnen doen, maar waar we toch geen spijt van hebben. Dat had ik allemaal kunnen zeggen. Maar ik heb het niet gedaan. Ik durfde niet.'

Ik kijk naar haar. Ze slaat haar ogen neer. Ik ben niet boos meer. Ik ben helemaal niets meer. Geen vader. Geen zoon. Geen geliefde. Geen vriend. Niets. Ik ben opgehouden te bestaan. Ik moet mezelf opnieuw gaan uitvinden.

Is dat wat de evangelist bedoelt met de waarheid die vrij maakt?

Vierenveertig

Bo slaapt met zijn ogen dicht. Ik kan het zelf nauwelijks geloven, maar het is waar. Ik zit op de rand van zijn bed en luister naar zijn ademhaling. De pauze tussen uitademen en inademen, dat is het allermooiste moment. Omdat het leven dan heel even stilstaat.

Is dat dan wat ik wil? Het leven stilzetten? Ja. Dat is wat ik wil.

Statistisch gezien is het waarschijnlijk dat Bo en ik een kwart van onze genen gemeen hebben, al is het mogelijk dat dat percentage een stuk hoger ligt, of juist veel lager – dat is de pest met gemiddelde waarden: je weet nooit wat je er als individu aan hebt. (Maar leg dat maar eens uit aan je verzekeringsagent.) Dat Bo mijn kaaklijn heeft, is dus vermoedelijk geen toeval. Dat zijn voeten verschillen in grootte, net als de mijne, waarschijnlijk ook niet. Volgens de sociobiologen zal ik, nu ik onze bloedverwantschap ken, weer meer van hem kunnen gaan houden. Zij het maar half zoveel als toen ik nog dacht dat hij mijn eigen kind was, want vader en kind hebben gemiddeld de helft van hun genen gemeen – dus twee keer zoveel als twee halfbroers.

Dit dramatische inzicht over het verband tussen bloedverwantschap en de liefde danken wij aan een zekere William Hamilton, die in 1964 een artikel publiceerde in de *Journal of Theoretical Biology* met als titel: 'The evolution of social behavior'. Het artikel van Hamilton wordt door velen beschouwd als de belangrijkste doorbraak in de evolutietheorie sinds de ontdekkingen van Gregor Mendel over de overerfbaarheid van de eigenschappen van de erwt. Vóór Hamilton kon met behulp van Darwins theorie alleen zelfzuchtigheid worden verklaard – sociaal gedrag viel buiten de theorie en was dientengevolge een weinig populair onderzoeksterrein voor biologen. Probleem was alleen dat niet viel te ontkennen dat sociaal gedrag *bestond*, zowel bij dieren, als bij mensen. Hamilton leverde als eerste een evolutionair-theoretische verklaring voor zulk gedrag.

In het kort komt Hamiltons inzicht hierop neer: sociaal gedrag kan evolutionair voordeel opleveren wanneer het ten goede komt aan naaste bloedverwanten. De hoeveelheid genen die de bloedverwanten gemeen hebben, is daarbij uiteindelijk de bepalende factor. Hoe nader de verwantschap, hoe eerder sociaal gedrag vanuit genetisch oogpunt bezien voordeliger is dan egoïsme. Zelfzuchtige genen kunnen dus belang hebben bij altruïstische individuen.

'Er is alleen één probleem met Hamiltons theorie.' Natuurlijk was het Dees die dit te berde bracht. 'Die theorie is namelijk een slang die zichzelf in zijn staart bijt. Hij bewijst wat bewezen moest worden op grond van de aanname dat de evolutietheorie klopt en van de vaststelling dat er zoiets bestaat als sociaal gedrag.'

Maar dit keer vond ik dat hij zich er niet zo makkelijk van af kon maken. 'Je kunt,' zei ik, 'op grond van Hamiltons theorie een hypothese opstellen. Bijvoorbeeld dat mensen of dieren egoïstischer worden naarmate de andere individuen in een experiment minder verwant zijn. In grote lijnen blijkt die hypothese door experimenten te worden gestaafd.'

'Dat kan wel wezen,' wierp Dees tegen, 'maar dat bewijst niet meer dan dat het hemd inderdaad nader is dan de rok – en dat is toch op z'n zachtst gezegd geen wetenschappelijke doorbraak. Als Hamilton gelijk heeft zou er een rechtstreekse relatie moeten bestaan tussen een bepaald gen, of hooguit een paar genen, en het vertoonde sociale gedrag.

Sterker nog: we moeten dan geloven dat ergens in onze genen informatie ligt opgeslagen die ons in staat stelt om – *onbewust!* – onderscheid te maken tussen verwanten uit de eerste en de derde of vierde graad. Dan kun je net zo goed geloven in God of in groene marsmannetjes.'

Ik moest toegeven dat ik daar geen redelijke argumenten meer tegenin wist te brengen. Maar het probleem met Dees' kritiek op de evolutietheorie is dat hij weliswaar de antwoorden van de darwinisten op de vragen des levens verwerpt, maar dat hij geen andere antwoorden voorhanden heeft.

En dus zit ik hier bij mijn slapende halfbroer, die wel op mij lijkt en toch ook weer niet. Het koekoeksjong dat mijn eigen vader in mijn nest legde. Sinds Bo de liefde heeft ervaren van het meisje-met-het-petje is hij 's nachts niet bang meer. Liefde maakt heel. Maar kan de liefde ooit weer herstellen wat er tussen hem en mij kapot is gegaan? Zal ik ooit weer van hem kunnen houden zoals ik dat al die jaren heb gedaan? En hij van mij? Het enige eerlijke antwoord op die vragen luidt: ik weet het bij God niet – en bij Darwin evenmin.

Vijfenveertig

Het idee kwam van Bo. Het was profaan, choquerend en absurd, maar ik wist meteen toen hij het opperde dat het moest worden uitgevoerd.

Er waren vier maanden verstreken sinds die krankzinnige dag waarop hij ontdekte dat zijn vader zijn broer was en zijn opa zijn vader. Aan alles was hem aan te zien dat het de moeilijkste maanden uit zijn leven waren geweest – daar konden zelfs de ansichtkaarten van het meisje-met-het-petje niets aan veranderen. Hij bleef er de hele zomer uitzien alsof het winter was. Hij had voortdurend kringen onder zijn ogen en hij was nog zwijgzamer dan gewoonlijk. Soms zaten wij uren samen in de woonkamer zonder een woord te wisselen. Ellen liet ons begaan, zoals alleen zij dat kon. Ze was er, ook als ze er niet was. En ze zat ons nooit in de weg, zelfs niet als ze tussen ons in zat – of eigenlijk: juist dan niet.

De eerste weken na die absurde ontdekking in mijn ouders' huis was ik zo verschrikkelijk kwaad, dat ik aan het eind van elke dag over mijn hele lichaam spierpijn had. Regelmatig stond ik midden in de nacht op en ging een uur onder de douche staan, in de hoop dat ik daarna zou kunnen slapen. Soms hielp het. Vaak niet. Eén ding deed ik anders dan in alle jaren daarvoor: ik dronk niet meer. Op heel erg slechte dagen beukte ik minutenlang met mijn hoofd tegen de muur. Ik kreeg dagen achtereen geen hap door mijn keel.

Elke dag zei Ellen tegen me: 'Ik hou van je.'

En soms zei ik: 'Ik ook van jou.'

En langzaam groeide het besef dat weliswaar alles was veranderd, maar dat alles tegelijkertijd hetzelfde was gebleven.

Op een vrijdagmiddag in augustus vroeg Bo: 'Zullen we morgen gaan vissen?'

En natuurlijk zei ik ja.

Hij had net voorzichtig de eerste brasem van de dag onthaakt en in het water terug laten glijden, toen hij met zijn voorstel kwam.

'Ik wil dat we de as van opa over het graf van Monika strooien. En dat we daarna verder gaan met leven.'

De volgende dag stonden we aan Monika's graf – Ellen, Bo en ik. Het was nog vroeg. De enige andere bezoeker was een zanglijster die driftig naar wormen pikte op een pas gedolven graf. Bo haalde de urn te voorschijn en schroefde de dop los. Uit de tekst op Monika's grafsteen sprak nog onverminderd de woede en wanhoop van toen: 'Monika Paradies. Mooi. Jong. Moeder. Dood.' Ik heb me er weleens voor geschaamd dat ik niet iets waardigers had weten te verzinnen. Maar nu leek het me opeens weer de perfecte verwoording van wat ik over haar wist. Ooit mijn grote liefde. Nu vier woorden gebeiteld in graniet.

Bo hield de urn zo hoog als hij kon. Toen draaide hij hem om. Het fijne stof woei op de zomerwind de begraafplaats over. Aan de voet van Monika's graf vormde zich een klein wit bergje.

Verantwoording en woord van dank

Dit boek bevat een aantal letterlijke citaten. De fragmenten uit het Evangelie van Philippus zijn ontleend aan de vertaling van Jakob Slavenburg (*De verborgen leringen van Jezus*, Ankh-Hermes, Deventer, 1992). *Fulgor de steenarend* werd geschreven door Cecilia Knowles en verscheen in de onvolprezen reeks *Dierenverhalen uit de wildernis* (Uitgeverij De Verkenner te Baarn, in samenwerking met de Nederlandse Padvinders, jaar van uitgave onbekend). Het citaat van José Ortega y Gasset op pagina 16 is afkomstig uit *De opstand der horden*, (Nijgh en Van Ditmar, Den Haag, zestiende druk, 1983). De diverse in het Engels gestelde fragmenten uit biomedische vakliteratuur zijn afkomstig uit *Biochimica et Biophysica Acta, Molecular Cell Research* (Elsevier Science Publishers, Amsterdam, vol. 763, no. 2, september 1983). De cijfers over het boltheoretisch verval komen uit *Pleidooi voor de platte aarde* van Klaas Dijkstra (Boersma Enschede, jaar van uitgave onbekend).

Bij het schrijven van dit boek ben ik met liefde, geduld en vakmanschap terzijde gestaan door Tiziana Alings. Zonder haar even kritische als stimulerende inbreng zou het nooit het boek zijn geworden dat het nu is. Deze paar woorden zijn bij lange na niet genoeg om haar te bedanken.

Karel Glastra van Loon
Amsterdam, januari 1999